Gaétan Bélanger

Le jeu ultime

Gaétan Bélanger

Le jeu ultime

Roman policier

Les Éditions David remercient de leur appui :

le Conseil des Arts du Canada,
le Secteur franco-ontarien du Conseil des arts de l'Ontario,
la Municipalité régionale d'Ottawa-Carleton.

Les Éditions David remercient également :

Coughlin & Associés Ltée,
le Cabinet juridique Emond Harnden,
la Firme comptable Vaillancourt ◆ Lavigne ◆ Ashman.

Données de catalogage avant publication (Canada)

Bélanger, Gaétan, 1954-
Le jeu ultime

ISBN 2-922109-44-5

I. Titre

PS8553.E4344J48 2001 C843'.6 C00-901799-2
PQ3919.2B44J48 2001

Typographie et montage: Impressart
Maquette de la couverture : Pierre Bertrand
Illustration de la couverture : Gaétane Giroux, « Suspicion »

Les Éditions David, 2001
1678, rue Sansonnet
Ottawa (Ontario)
K1C 5Y7

Tél. : 613 830.3336
Téléc. : 613 830.2819
Courriel : ed.david@sympatico.ca
Internet : http://www3.sympatico.ca/ed.david

Je tiens à remercier Gaétane Giroux, Evelyne Pettigrew et Frédéric Bok pour avoir lu le manuscrit de ce livre, pour leurs suggestions et pour leur encouragement à poursuivre mes efforts afin qu'il soit édité. Je remercie également Marc Pelletier et Réjean Robidoux à qui je suis redevable d'avoir révisé mon texte et d'avoir beaucoup contribué à l'améliorer. Sans eux, ce livre ne serait pas ce qu'il est maintenant. Je désire aussi exprimer ma profonde reconnaissance à mon éditeur, Yvon Malette, qui a cru en ce livre et a permis que se réalise mon rêve de le publier.

Chapitre I

La belle et le privé

Écartant d'une main deux lamelles du store de la fenêtre de son cabinet, Francis Bastien promena un moment son regard sur la scène de fébrilité qui s'offrait à lui. Les piétons, surtout des femmes, attiraient son attention. Comme maintes fois auparavant, il se dit en lui-même que les Québécoises étaient décidément fort jolies.

Il se détourna de la fenêtre, se frotta les yeux, puis se dirigea péniblement vers l'évier de faibles dimensions dissimulé derrière une cloison amovible au fond de la pièce. Il fit couler l'eau un petit moment et s'aspergea le visage, ce qui contribua à lui rendre en grande partie ses esprits. Après s'être essuyé, il emplit et brancha la cafetière. Un café l'aiderait sans doute à lutter contre le besoin de sommeil qu'il ressentait encore. C'est qu'il avait dormi, plus ou moins bien, sur le canapé dans son bureau. De plus, il s'était couché très tard après s'être enivré et avait été réveillé tôt par les bruits de la rue. Tout cela expliquait sans doute le mal de tête lancinant qui le tenaillait, sans compter les douleurs qu'il ressentait en divers endroits de son corps.

Il alla s'asseoir à son fauteuil pivotant placé derrière son somptueux bureau – vestige d'une période plus opulente – et jeta un regard morne sur les piles de papiers l'encombrant. Il soupira de dépit, puis il allongea ses jambes et joignit ses mains sur sa tête en inclinant le torse vers l'arrière, le dos bien appuyé au dossier de son fauteuil. Tandis que la pièce s'emplissait de l'odeur délicieuse du café en infusion, il se mit à réfléchir aux événements qui s'étaient récemment produits.

Tout avait commencé quelques jours auparavant quand cette jeune femme s'était présentée à son cabinet. Il se trouvait exactement au même endroit lorsque, tournant la tête vers la fenêtre, il l'avait vue avancer dans l'allée menant à la porte d'entrée. Comme elle était jolie, bien mise et qu'elle dégageait une impression de grande assurance, elle avait immédiatement attiré son attention. Elle était plutôt grande, très mince et avait une chevelure brune relevée en chignon d'où s'échappaient quelques petites mèches rebelles, détail que Francis trouva tout à fait charmant. Elle s'était attardée un instant sur le perron de béton pour lire la plaque de laiton poli fixée au mur :

FRANCIS BASTIEN
DÉTECTIVE PRIVÉ
ENQUÊTES EN TOUS GENRES

Puisqu'il devait passer la journée au bureau ce jour-là, le détective avait donné congé à sa secrétaire. Il avait donc accueilli lui-même la visiteuse.

Sortant de son bureau, il s'était retrouvé à la réception où Marie-Andrée était habituellement chargée de recevoir les clients, de plus en plus rares, qui venaient le consulter. En entrant, la jeune femme avait immédiatement esquissé un sourire qu'il avait trouvé ravissant. Mais son attention avait surtout été attirée par les yeux de sa visiteuse : ses iris d'un bleu-gris strié de fines veines brun clair lui donnaient un regard chatoyant.

– J'aimerais voir monsieur Bastien, avait dit cette femme qui semblait dans la trentaine.

– Vous l'avez devant vous, répondit-il.

– Dans ce cas, j'ai une enquête à vous proposer.

– Alors, venez vous asseoir et discutons-en.

Ne désirant pas que la cliente constate l'état de désordre dans lequel se trouvait son cabinet de travail, le détective avait alors approché une chaise et l'avait placée devant le bureau, toujours bien tenu, de sa secrétaire. Sa visiteuse s'y assit.

– J'aimerais d'abord vous demander pourquoi vous vous adressez à moi, fit-il.

– Je vous avoue avoir déjà consulté certains de vos confrères au sujet de ce qui m'amène et ils semblent être unanimes à considérer que vous êtes la personne la mieux qualifiée pour se charger du type d'enquête que j'ai à proposer.

« Mieux qualifié mon œil, s'était dit Francis. Ils pensent plutôt et surtout que ce sera une enquête à gros problèmes et à petits honoraires. »

– Mes confrères sont très aimables de vous avoir recommandée à moi madame, avait-il tout de même diplomatiquement répondu. Madame... ? avait-il ensuite poursuivi sur un ton interrogateur.

– Oh, excusez-moi. Je ne me suis pas présentée. Je m'appelle Sylvia Varady et je suis informaticienne dans une importante entreprise de développement de logiciels.

– Varady, c'est un nom peu commun dans la région.

– Effectivement, mes parents sont originaires d'Europe de l'Est : de Hongrie, plus précisément. Quant à moi, je suis née ici et j'y ai passé toute ma vie.

– Ne m'en veuillez pas pour ma curiosité mais, dans mon métier, il est impératif de savoir exactement à qui l'on a affaire.

Il avait effectivement déjà payé cher le fait d'avoir négligé cette règle. Quelques années plus tôt, une autre jolie cliente était venue lui demander d'enquêter sur son ex-mari. Elle soupçonnait celui-ci de dissimuler une partie de ses revenus pour le calcul de la pension alimentaire qu'il devait lui verser à la suite de leur divorce. Une enquête relativement aisée à mener avait effectivement permis au détective privé de découvrir que le type en question trempait dans diverses activités plutôt louches qui lui rapportaient assurément des sommes rondelettes non déclarées au fisc.

Sa cliente l'avait remercié, avait réglé sa note et était aussitôt allée porter son rapport à un avocat bien connu pour ne pas avoir froid aux yeux et pour ses notes d'honoraires plutôt salées. En utilisant le rapport très éloquent rédigé par Francis, l'avocat et sa cliente avaient exigé de l'ex-époux qu'il augmente « volontairement », et de façon substantielle, la pension alimentaire qu'il versait, faute de quoi, il aurait été poursuivi devant les tribunaux civils.

Dans cette éventualité, madame n'aurait peut-être pas eu gain de cause, mais les activités peu avouables de monsieur auraient été dévoilées au grand jour. Nul doute que ses affaires auraient grandement souffert d'un scandale. À contrecœur, il n'avait donc pu que se résoudre à céder.

Il n'était cependant pas homme à subir une telle attaque sans riposter. Mais, d'une part, il n'osait pas s'en prendre à la mère de ses enfants et, d'autre part, l'avocat qui avait représenté celle-ci était, tout comme lui, reconnu pour avoir de puissants amis. Sa colère s'était donc tout naturellement portée vers le détective qui avait osé enquêter à son sujet.

Il avait alors entrepris de faire répandre de fausses rumeurs peu flatteuses au sujet du privé imprudent. Il était également intervenu auprès de ses amis, dont plusieurs étaient à la tête d'entreprises de premier plan et d'organismes importants. Tout cela afin de priver Francis d'une partie de sa clientèle et, donc, de ses revenus. Si bien que celui-ci n'avait pas tardé à voir considérablement diminuer le nombre d'enquêtes qui lui étaient confiées par d'importantes et riches institutions.

Bien sûr, il lui restait toujours les enquêtes pour les particuliers. Mais celles-ci avaient également diminué en nombre et étaient, en général, peu payantes. Il est bien évident que la grande majorité des particuliers peuvent beaucoup moins aisément que les organisations, publiques ou privées, se permettre de délier sans compter, ou presque, les cordons de leur bourse afin de se procurer les informations qui leur sont utiles et qu'un bon enquêteur est en mesure de découvrir pour eux.

Avec un sens de l'humour bien particulier, certains de ses confrères avaient alors pris l'habitude de lui refiler des clients aux moyens restreints. Ils déclaraient aux clients en question que Francis était spécialiste dans le type d'enquête qui les concernait. En fait, ces confrères étaient peu tentés de travailler pour des sommes dérisoires et ils savaient que Francis, lui, n'avait pas les moyens de refuser les petites enquêtes.

Parfois, la raison pour laquelle on lui envoyait un client était qu'il avait à proposer une enquête très délicate, voire insensée, comme celle qui l'avait mené dans la dèche quelques années plus tôt. Il s'agissait également dans ces cas-là d'un humour noir qui n'échappait pas à Francis. Tout cela avait rapidement défilé dans la tête du détective déchu avant qu'il poursuive :

– D'ailleurs, votre nom a beau être peu commun par ici, il ne me semble pas tout à fait inconnu. Où pourrais-je l'avoir entendu ?

– Vous avez dû l'entendre à la télé, ou vous l'aurez lu dans le journal. Mon frère, Stefan Varady, a été assassiné il y a trois semaines à peine et, bien sûr, cela a fait la manchette de tous les médias. C'est d'ailleurs justement au sujet de cet assassinat que je viens vous voir. J'aimerais que vous fassiez enquête afin d'en découvrir les raisons.

– La police travaille déjà certainement sur cette affaire. Pourquoi voudriez-vous que j'enquête de mon côté ?

« Nous y voilà, s'était dit Francis. La raison pour laquelle mes confrères n'ont pas voulu se charger de l'affaire est qu'ils ne veulent pas se risquer à aller jouer dans les plates-bandes de la police, sans compter que cette jeune femme n'est certainement pas du genre à disposer d'une somme très importante à dépenser pour son enquête. Les informaticiens ont beau être généralement assez bien payés, ils sont quand même rarement millionnaires, du moins ici au Canada. Donc, pas moyen encore cette fois-ci de présenter une note salée au terme de l'enquête. »

– Vous avez raison, monsieur Bastien. La police est, comme il se doit lorsqu'il est question de meurtre, déjà sur l'affaire. Mais je suis persuadée qu'elle fait complètement fausse route. Et je tiens absolument à connaître la vérité. Je veux que ceux qui ont tué mon frère soient identifiés et qu'ils paient pour leur crime.

– Madame Varady, je sais par expérience que les victimes d'actes criminels, ainsi que leurs proches, ont tendance à s'impatienter pendant l'enquête. Ils ont hâte que justice soit rendue afin de pouvoir tourner la page. C'est bien normal et tout à fait légitime. La justice a des règles très strictes à observer et cela demande du temps. Croyez-moi, si vous prenez votre mal en patience, il y a de très fortes chances, qu'en fin de compte, vous voyiez le ou les coupables condamnés pour leur crime. Et cela sans que vous ayez à débourser le moindre sou.

Tandis que Francis débitait son laïus, sa visiteuse avait semblé s'impatienter. Il est vrai qu'elle s'était sans doute fait servir semblable discours à quelques reprises déjà, puisqu'elle avait auparavant consulté d'autres agences de détectives pour leur proposer l'enquête.

– Je vous remercie, monsieur Bastien, de vous donner la peine d'essayer de contribuer à parfaire mon éducation sociale et juridique. Croyez bien que je trouve votre discours absolument irréprochable sur le plan théorique. (Elle avait débuté sur un ton doucereux qui parvenait mal à cacher son exaspération.) Il n'a qu'un défaut : au point de vue pratique, c'est du pipi de chat. J'apprécierais énormément que vous ne vous adressiez plus à moi comme si vous considériez avoir affaire à une demeurée.

Francis n'avait pu réprimer un sourire en écoutant la riposte de son interlocutrice au discours qu'il avait l'habitude de servir aux clients qu'il désirait éconduire en deux temps trois mouvements. Décidément, elle lui plaisait de plus en plus cette jeune femme.

– Qu'est-ce qui vous fait croire que la police fait fausse route dans cette affaire ? lui demanda-t-il.

– C'est tout simplement que les policiers s'obstinent à prétendre que mon frère a été abattu à cause d'une dette de drogue. Cela est vraiment ridicule. Je sais aussi, pour avoir déjà croisé à maintes reprises dans ma vie des gens de son espèce, que le détective chargé de l'enquête est un affreux macho prétentieux qui préférerait manger ses vieilles chaussettes sales plutôt que d'admettre qu'il s'est trompé. Alors, ce qu'il va faire est déjà tout tracé : il va d'abord continuer son enquête pendant un certain temps dans la même direction. Puis, il finira par déclarer l'affaire insoluble. Ou pire, il en viendra peut-être à accuser un quelconque *pusher* et il réussira éventuellement à faire condamner le type, malgré qu'il soit parfaitement innocent, de ce crime-là en tout cas.

– Je constate que vos sentiments à l'égard du détective en charge de l'enquête pourraient difficilement être qualifiés d'« admiration sans borne ». Mais, si le policier en question croit que l'assassinat de votre frère est relié au monde de la drogue, il a sûrement de bonnes raisons.

– Je reconnais que Stefan *sniffait* une ligne de coke à l'occasion. Plusieurs de ses confrères et consœurs, qui étaient également ses amis, le savaient et l'un d'entre eux l'aura sans doute dit à la police en début d'enquête. Cependant mon frère n'était qu'un consommateur occasionnel. De cela, je suis absolument certaine. Et comme il bénéficiait d'un bon salaire, il n'avait aucune peine à payer le peu de drogue qu'il consommait.

– Peut-être en consommait-il plus que vous ne le croyez ? Vous savez, nos frères et sœurs ont souvent leurs petits secrets.

– Stefan et moi partagions le même appartement. S'il avait été un consommateur de cocaïne aussi assidu que la police semble le croire, je m'en serais forcément rendu compte. D'autant que je ne lui faisais pas la morale à ce sujet et que lui et ses amis ne se gênaient aucunement pour se droguer ouvertement devant moi.

– Et vous ne vous joigniez jamais à eux?

– Cela ne vous regarde pas, mais je veux bien vous répondre quand même. La réponse est non, jamais.

– Oh que si, cela me regarde. Je vous répète que je tiens absolument à savoir à qui j'ai affaire. De plus, si je dois être chargé de cette enquête, je dois en savoir le maximum sur la victime et sur son entourage. Et, puisque non seulement vous êtes sa sœur, mais que vous êtes également sa colocataire, vous faites indéniablement partie de son entourage immédiat. N'est-ce pas? Cela dit, merci pour votre réponse.

– Excusez-moi, monsieur Bastien. Je crois que je suis restée un peu exaspérée après les discussions que j'ai eues récemment, au service de police d'abord, et avec vos confrères détectives privés par la suite. Puisque, si j'interprète bien vos paroles, vous acceptez d'enquêter sur la mort de mon frère, je vous prie de croire que je ferai de mon mieux pour vous fournir tous les renseignements dont je dispose et qui pourraient vous être utiles.

– N'allons pas trop vite en affaire. Ce que je vous propose, en fait, c'est que j'entame une enquête sommaire dont je vous livrerai les résultats d'ici une semaine ou deux. Si mes conclusions vont alors dans le même sens que celles de votre « ami » de la police, mon travail s'arrêtera là. Par contre, si mes conclusions préliminaires divergent des siennes, je poursuivrai mon enquête. Est-ce que cela vous va?

– Tout à fait! Votre proposition est honnête et je suis persuadée que vous découvrirez des choses qui ont échappé au détective de la police.

– Je n'en suis pas si certain, mais je vous remercie de votre confiance. J'aimerais maintenant que vous me parliez de votre frère : dites-moi quelles étaient ses principales activités, ses passions, ses faiblesses; enfin, tout ce que vous jugez susceptible de pouvoir m'aider dans mon enquête.

– Je vous dirai d'abord que Stefan m'a paru très nerveux, voire angoissé au cours des quelques jours qui ont précédé sa mort. Il m'a même déclaré qu'il avait fait une grosse bêtise, qu'il s'était passé quelque chose de très sérieux qu'il ne comprenait pas du tout. J'ai cru que cela était relié à son travail et je n'ai pas vraiment porté attention. Mais après coup, je crois qu'il sentait une menace peser sur lui, une menace plus difficile à contrer que l'aurait été une simple dette de drogue.

– C'était peut-être justement là où il voulait en venir quand il vous a parlé de la bêtise qu'il avait commise. Devant votre peu de réceptivité, il aura alors décidé de ne pas insister.

– C'est égalcment l'interprétation de la police. Mais je suis persuadée que ce n'est pas ce qui s'est passé. Je me rends bien compte que si je lui avais alors mieux prêté l'oreille, il m'aurait peut-être confié ce qui le menaçait. Comme je vous l'ai dit, je croyais qu'il s'agissait tout simplement d'un problème relié à son travail et, de mon côté, j'étais très absorbée dans l'élaboration d'une nouvelle application informatique fort complexe à laquelle je travaillais assidûment. Vous comprendrez alors que je me sente une part de responsabilité dans ce qui est arrivé à Stefan et que j'aie un intense besoin de connaître la vérité. Je crois bien, monsieur Bastien, que vous êtes mon dernier espoir d'y parvenir.

– Alors, continuez à me parler de votre frère. J'ai besoin d'en savoir plus à son sujet.

– Je crois que vous devriez savoir qu'il était passionné d'informatique. Quand il n'était pas occupé à jongler avec un problème de programmation, il passait le plus clair de son temps à jouer à toutes sortes de jeux électroniques. Il était reconnu auprès de ses amis pour être d'une habileté exceptionnelle à ces jeux. Il travaillait d'ailleurs pour une entreprise d'envergure internationale qui en conçoit. C'est là qu'il a fait la connaissance de ses quelques amis, et notamment de Steve Beaupré, celui dont il était le plus près. Steve a été un des fondateurs de la boîte où Stefan travaillait. Il a empoché un joli magot quand l'entreprise en question a été achetée par un important holding informatique basé aux États-Unis. C'est d'ailleurs cette transaction qui a propulsé la petite entreprise sur la scène mondiale. Quant à Steve Beaupré, en plus d'empocher une somme rondelette pour ses parts dans l'entreprise, il s'est vu offrir de conserver un poste important et bien rémunéré au sein de celle-ci. Il se débrouille également très bien aux jeux électroniques et c'est, je crois, ce qui les a rapprochés lui et Stefan. Quand leur travail leur en laissait le loisir, ils passaient des soirées entières à l'appartement, à jouer sur l'ordinateur de Stefan et sur un portatif que Steve apportait avec lui. Certains de leurs jeux se déroulaient sur Internet. L'un asticotait volontiers l'autre quand un pointage plutôt décevant lui en donnait le loisir. Par ailleurs, ils fréquentaient assez régulièrement certains bars et pubs du centre-ville, où ils allaient draguer et prendre un verre. Parfois, un ou deux autres camarades de travail se joignaient à eux lors de leurs sorties ou de leurs soirées de jeux informatisés.

– J'imagine que c'est au cours de ces soirées qu'il se consommait de la cocaïne à l'occasion.

– Vous avez raison. Le but recherché était soi-disant d'augmenter la concentration et d'accélérer les réflexes afin d'améliorer les performances. Il faut dire que Stefan et Steve accordaient beaucoup d'importance au fait d'être reconnus comme des champions aux jeux sur ordinateur. Consommer un peu de drogue était pour eux une façon bien innocente d'obtenir de meilleurs scores, d'augmenter leurs chances de vaincre lorsque ces jeux les opposaient à un adversaire.

Il y avait eu alors un moment de silence pendant lequel Sylvia Varady avait semblé fouiller dans sa mémoire à la recherche d'autres informations pertinentes. Comme elle ne semblait rien trouver, et que le fait de se forcer ainsi à penser à son frère semblait l'avoir attristée, Francis était intervenu :

– Bon, ce que vous m'avez donné comme renseignements devrait être suffisant pour me permettre de commencer mon enquête. Je vais me mettre à la tâche au plus tôt et je communiquerai avec vous dès que j'aurai suffisamment d'informations nouvelles susceptibles de nous éclairer, vous et moi, quant à la pertinence de poursuivre mon investigation.

– J'apprécie énormément que vous acceptiez de m'aider, monsieur Bastien, et je vous en remercie. J'attends de vos nouvelles avec impatience, soyez-en assuré.

Sur ces paroles, la jeune femme s'était levée et, sans se retourner, s'était dirigée directement vers la porte des locaux de l'agence de détective privé. Quand elle fut sortie, Francis demeura songeur. L'histoire de cette jolie jeune femme qui se sentait coupable de la mort de son frère lui était apparue comme bien pathétique. Mais, il était loin d'être persuadé que la police avait tort de croire à un meurtre relié au monde de la drogue. Dans ce milieu-là, on ne fait pas dans la dentelle, il le savait fort bien. Si, effectivement, Stefan Varady devait de l'argent à ceux qui lui avaient vendu de la drogue et qu'il était incapable de s'acquitter de sa dette, cela avait très bien pu lui valoir d'être exécuté.

Pour parvenir à y voir plus clair dans cette affaire, il lui fallait d'abord commencer par apprendre où en était l'enquête de la police. Le détective privé avait encore quelques bons contacts au poste de police local et il les utilisait volontiers à l'occasion. L'un d'eux, en particulier, était plus qu'un contact. C'était un véritable ami et il s'efforçait toujours de renseigner Francis du mieux qu'il pouvait.

Il s'agissait d'un policier qui en était à quelques années à peine d'une retraite bien méritée. Le sergent Robert Landry avait été blessé, quelques années plus tôt, au cours d'une poursuite automobile qui s'était mal terminée. Il avait conservé quelques séquelles de l'accident, dont une légère claudication et des douleurs chroniques à la hanche. Il était maintenant assigné à des tâches administratives, histoire de lui permettre de se rendre en douceur à l'âge de la retraite. Au début, il avait détesté ce travail de gratte-papier, comme il disait. Mais, il s'y était fait peu à peu et, maintenant, il était comme un poisson dans l'eau au milieu des dossiers en cours, des archives et même des fichiers informatisés, lui qui avait auparavant horreur des ordinateurs, ces « boîtes à puces », comme il se plaisait à les appeler.

Autrefois, quand le sergent Robert Landry travaillait « sur le terrain », lui et Francis avaient l'habitude d'échanger régulièrement des informations qui étaient parfois précieuses pour l'un ou pour l'autre. Au cours des années, il s'était développé une complicité certaine, une grande amitié même, entre les deux hommes. Toutefois, l'accident du sergent avait mis fin à ses enquêtes, et les déboires de Francis avaient grandement diminué le nombre des siennes. Les malheurs qui s'étaient abattus sur les deux hommes n'avaient en rien atténué leur amitié et le respect mutuel qu'ils se portaient. Francis savait, encore aujourd'hui, que son ami serait prêt à remuer ciel et terre pour lui dénicher des informations dont il aurait besoin. C'était donc, naturellement, au sergent Landry qu'il avait téléphoné.

– Salut, tu n'as pas encore pris ta retraite? le taquina-t-il quand il reconnut la voix de son vieil ami au bout du fil. Décidément, ils conservent leurs vieux meubles longtemps dans la police. Comment va Mathusalem, ton petit-fils?

– Et de ton côté? Y a-t-il encore des clients assez stupides pour s'adresser à toi? Tu es probablement sur le point d'en être réduit à devoir faire la file à la soupe populaire.

– Pas tout à fait encore, mais ne perds pas patience. On ne se bouscule en effet pas à ma porte, mais je récolte encore au moins les affaires dont personne ne veut. Je te téléphone justement au sujet d'une enquête qu'une cliente vient de me confier.

– Oh non, j'espère que c'est une vétitable enquête cette fois-ci. Les femmes sont ton point faible, mon ami. Elles te perdront. Mais, j'oubliais que c'est déjà fait.

– Il est normal d'avoir des trous de mémoire à ton âge. Ce qui me surprend, c'est que tu te rappelles encore de te rendre à ton travail le matin. Justement, avant que tu ne l'oublies, revenons à mon enquête. Puisqu'il s'agit d'un meurtre, je sais que vous êtes déjà sur l'affaire et j'aurais besoin d'informations. Pour être plus précis, on m'a demandé de mettre mon grain de sel dans l'affaire Stefan Varady, le jeune informaticien qui a été assassiné il y a quelques semaines.

– Je peux immédiatement te dire que c'est du travail de professionnel ce meurtre-là : il n'y a pas le moindre véritable indice sur l'identité de l'assassin. C'est l'inspecteur Demers qui est sur l'affaire et il croit à une histoire de drogue parce que le jeune Varady consommait de la cocaïne assez régulièrement à ce qu'il paraît. Je suis loin d'être certain que Demers va dans la bonne direction mais, comme je le connais, je ne pense pas qu'il va rajuster le tir.

– Ma cliente m'a dit exactement la même chose.

– Il faudra que tu me la présentes. Ta cliente me semble être une femme très sensée. Je comprends d'autant moins qu'elle se soit adressée à toi.

– C'est tout simplement que mes confrères m'ont « chaudement » recommandé à elle, si tu vois ce que je veux dire...

– Ils n'ont pas eu tort, si tu veux mon avis. Ils ont montré plus de bon sens que toi. Si Demers apprend que tu es en train de jouer dans son carré de sable, il ne sera pas très content. Et je crois que tu as déjà suffisamment d'ennemis comme ça.

– Bonnes raisons pour ne pas apprendre à Demers qu'il a de la concurrence dans l'affaire. Je m'en voudrais de contribuer à lui donner des ulcères d'estomac.

– Bon, alors je m'occupe de te trouver le maximum de renseignements sur l'affaire en prenant bien soin que Demers ne se rende compte de rien. Avec l'aide de ma souris et de mon clavier, ça va être un jeu d'enfant. Tu sais, je n'aurais jamais cru que les boîtes à puces et moi, on puisse travailler aussi bien ensemble. Dès que j'ai ce qu'il te faut, je te rappelle.

– D'accord, merci vieux frère. Finalement, je suis heureux qu'on ne t'ait pas encore mis à la retraite malgré ton très grand âge.

Avant de raccrocher, Francis avait eu le temps d'entendre le bruyant éclat de rire lancé par son ami. Il fit alors quelques autres appels téléphoniques afin de glaner de l'information au sujet de quelques affaires pendantes et entreprit ensuite, à contrecœur, de faire un ménage sommaire dans les papiers qui encombraient son bureau. C'est à cette besogne qu'il était occupé lorsque la sonnerie du téléphone retentit.

– Ça y est, j'ai les informations que tu m'as demandées, lança d'emblée son ami le sergent Landry.

– Dis donc, tu es rapide malgré ton âge plus que vénérable !

– Je savais bien que, sans mon aide, un privé à la manque comme toi ne pourrait pas avancer d'un pouce. Alors, « j'ai agi avec célérité », comme aurait dit un certain inspecteur d'ici que j'ai bien et trop longtemps connu.

– Est-ce que tu ne serais pas en train de parler en mal d'un de tes supérieurs ? Ce n'est pas bien ça ! Qu'est-ce que tu fais du respect dû à l'autorité ?

– Je respecte les autorités respectables, pas les connards, quel que soit leur niveau dans la hiérarchie. Mais, revenons-en à nos moutons : comme je te le disais tout à l'heure, ton Stefan Varady a, hors de tout doute, été exécuté par un type qui connaît le métier. L'assassin a attendu son « client » près de son appartement et l'a proprement abattu de deux balles : une au thorax et une autre à la tête, histoire de s'assurer que son travail était bien fait. Aucun indice n'a été retrouvé, sinon deux douilles de pistolet d'un modèle très commun. Et, personne n'a rien vu. Quand les gens attirés par les détonations sont arrivés sur les lieux du crime, il n'y avait plus qu'un cadavre encore chaud gisant sur le trottoir. Quant à l'agresseur : ni vu ni connu, volatilisé !

– Bon, d'accord pour le travail professionnel. Mais, dis-moi, pourquoi ce meurtre serait-il relié au monde de la drogue comme Demers le croit ? Après tout, plein de gens consomment de la cocaïne et ne se font pas assassiner sur le pas de leur porte pour autant.

– C'est que, quelques mois avant son assassinat, la victime a effectué un important retrait de son compte de banque, un retrait de plus de vingt-neuf mille dollars pour être plus précis. Alors, l'inspecteur Demers croit que Varady s'est servi de cette somme pour rembourser une dette de drogue. Il pense que Varady aurait ensuite continué à consommer à crédit, mais que cette fois-ci, il n'avait plus d'économies pouvant être utilisées pour régler ses dettes. Ses créanciers auront fini par perdre patience et auront décidé de le faire payer d'une autre façon, toujours selon Demers.

– Pourquoi le jeune Varady aurait-il eu des dettes de drogue ? Sa sœur dit qu'il avait d'excellents revenus et elle affirme qu'il consommait relativement peu de drogue, intervint Francis.

– Je vais te dire ce qui a mené l'inspecteur Demers sur cette piste : lorsqu'il est allé interrogé, Steve Beaupré, un compagnon de travail et ami de Varady, a révélé que celui-ci ne détestait pas s'envoyer dans le nez une petite ligne de poudre blanche à l'occasion. Même que la passion de la victime pour les « voyages » illicites aurait été sensiblement plus prononcée que ce que sa sœur en pense. Bien sûr, Beaupré affirme que lui-même ne touche jamais à la drogue. Sur ce point, je te dirai que la déclaration de ce type a été prise avec un grain de sel : on n'est quand même pas nigauds à la police. Mais, puisqu'il a coopéré avec nous, on ne lui cherche pas de poux… Si on tient compte de tout cela, et surtout du fait que, à peine quelques mois avant sa mort, Varady a retiré sans raison apparente une importante somme d'argent de son compte en banque, la théorie de Demers pourrait avoir un certain sens.

– Pourquoi utilises-tu le conditionnel ? Qu'est-ce qui cloche là-dedans, selon toi ?

– C'est que le jeune a économisé patiemment vingt-neuf mille dollars sur une période de plusieurs mois. Et aussitôt que cette somme est atteinte : paf, il la retire. On dirait qu'il économisait afin de se payer quelque chose qu'il désirait depuis un bon moment. Ça aurait pu être, par exemple, une belle automobile sport, mais il en avait déjà une assez récente et, de toute évidence, il ne l'a pas remplacée. Sylvia Varady a déclaré qu'à sa connaissance son frère ne s'est rien acheté de coûteux au moment où les vingt-neuf mille dollars ont été retirés ou après. D'ailleurs, elle ignorait même qu'il avait économisé cette somme et, à plus forte raison, qu'il l'avait retirée soudainement sans raison apparente. Remarque que tout ça pourrait accréditer la théorie de Demers : une assez grosse somme d'argent qui disparaît pour payer de la drogue, ça se tient. Mais, s'il était incapable de payer sa drogue, comment aurait-il réussi à économiser au cours de tous ces mois ? Et pourquoi vingt-neuf mille dollars ? Pourquoi attendre que cette somme ait été atteinte pour tout retirer ? Supposons même qu'il ait utilisé l'argent pour rembourser une dette de drogue et que, six mois plus tard, il devait à nouveau une somme tout aussi importante sans disposer cette fois-là d'économies pour la régler. Il aurait très bien pu emprunter. Compte tenu de ses revenus, les banques ne se seraient pas fait prier pour lui prêter. Même sa sœur lui aurait volontiers avancé de l'argent, comme elle l'a déclaré à Demers lors de sa déposition, sans compter qu'une somme de l'ordre de celle que le jeune Varady avait retirée de son compte de banque aurait eu, je crois, de quoi démontrer sa bonne volonté auprès de ses créanciers. Cela lui aurait probablement valu assez facilement un délai de grâce la seconde fois, si vraiment il avait eu affaire au monde de la drogue. Si tel avait été le cas, ses créanciers n'auraient rien gagné à l'abattre. Ces types-là ne sont pas fous, ils savent bien que s'ils exécutaient leurs débiteurs au moindre manquement, ils perdraient des sommes considérables. Ils ont bien meilleur intérêt à les effrayer qu'à les assassiner. Il y a quelque chose qui me rend perplexe dans toute cette histoire. Ça ne colle pas, mon vieux nez de flic qui en a flairé bien d'autres me le dit.

– Je ne suis pas vraiment d'accord avec toi. Je pense qu'il est fort possible que Demers ait vu juste. En tout cas, je crois que ça vaut la peine que je suive d'abord la même piste que lui, ne serait-ce que pour m'assurer que, comme toi et Sylvia Varady le supposez, elle ne mène nulle part.

– Je le répète : c'est une femme pleine de bon sens cette Sylvia Varady. Elle ferait un bien meilleur détective que toi, crois-moi. De plus, elle n'est pas du tout désagréable à regarder. Je le sais pour l'avoir aperçue quand elle est venue déposer au poste au sujet du meurtre. Quand est-ce que tu me la présentes ?

– C'est une jeune femme pleine de bon sens. (Francis avait répété la phrase de son ami en ajoutant le mot « jeune » et en insistant dessus.) Elle n'est donc pas en âge de s'intéresser au grand père de Mathusalem.

– Dis donc, et toi ? Quel âge crois-tu avoir ? Et je te connais assez pour savoir que, comme n'importe quelle jolie femme qui passe à portée de vue, elle t'intéresse.

– Oh non, crois-moi, je suis guéri de cela. J'en ai assez des ennuis que ça m'a apportés dans le passé.

– Si tu le dis, il faut croire que tu en es convaincu. Pour ma part, je pense que c'est comme l'alcoolisme : on n'est jamais guéri, il suffit simplement d'une occasion…

– Très bien docteur, je te tiendrai au courant. En ce qui concerne notre affaire, je suppose que le copain de Varady s'est bien gardé de dévoiler où celui-ci s'approvisionnait en poudre blanche.

– Tu as gagné : Beaupré prétend que Varady lui avait dit s'approvisionner dans le Vieux Québec auprès du premier *pusher* qu'il croisait dans la rue. Bien sûr, Beaupré serait lui-même blanc comme neige là-dedans, si j'osais me permettre un jeu de mots facile. Il n'aurait jamais accompagné son ami lors de ces achats et il ne pourrait donc identifier aucun vendeur.

– Bien sûr. Tout cela est cousu de fil blanc.

– Je le sais bien. Mais Demers, lui, semble gober toute l'histoire. Il avale le leurre et l'hameçon, puisqu'il n'a pas cuisiné le jeune Beaupré. Remarque qu'en n'identifiant pas le fournisseur de Varady, il ne peut l'interroger, ce qui a l'avantage d'éviter de remettre en question sa vision de l'affaire.

– Comme, de mon côté, je ne suis pas lié par la théorie de Demers, même si elle me semble plausible, rien ne m'empêche de tenter de tirer les vers du nez à notre ami Steve Beaupré. Quant à toi, garde l'oreille tendue et, si tu as du nouveau, ne m'oublie pas.

– Compte sur moi. Salut!

Après avoir raccroché, Francis s'était mis à réfléchir à la situation. Ce qui lui faisait croire en la vraisemblance de la théorie de l'inspecteur Demers, c'était la présence d'un meurtrier professionnel dans l'affaire. Il fallait vraiment une raison très sérieuse pour se payer les services, généralement coûteux, d'un tel mercenaire. Il est vrai que les groupes criminels distributeurs de drogue ont habituellement leurs propres exécuteurs sous la main, ce qui réduit leurs frais, et leurs risques d'être dénoncés. Mais, à l'occasion, ils peuvent très bien faire affaire avec un tueur à gages. Et, pour eux, la dette non honorée est une raison plus que valable pour faire exécuter quelqu'un.

Pour quelle autre raison aurait-on pu assassiner un jeune informaticien sans histoires? Selon ce qu'avait appris Francis jusque-là, une dette reliée à la consommation de drogue était le seul élément de la vie de la victime ayant pu lui valoir d'être assassinée. Si dette il y avait, bien sûr; ce dernier point n'étant pas encore démontré. Il ne fallait cependant pas écarter la possibilité que des pans obscurs de la vie de Varady soient demeurés dissimulés. Ça pourrait expliquer bien des choses...

Quoi qu'il en soit, comme il venait de le dire à son ami policier, il lui fallait commencer par rencontrer Steve Beaupré. Ce jeune homme avait sûrement des informations intéressantes et inédites à lui révéler. Lors du coup de fil qu'il lui passa en soirée, Francis eut bien de la difficulté à convaincre Beaupré de le rencontrer. Cela le conforta dans sa certitude qu'il y avait du nouveau à apprendre de ce type et le fit insister.

Finalement, après avoir longtemps palabré, il obtint que le jeune informaticien lui accorde quelques minutes le lendemain, pendant une pause qu'il prendrait à son travail. Francis devait aller l'attendre dans un parc public aménagé près du bureau où était établie l'entreprise de création de jeux informatisés pour laquelle Beaupré travaillait. À une heure convenue, le jeune homme irait y rejoindre Francis. Tout cela respirait le mystère, mais Francis reconnaissait volontiers que la majorité des gens n'aiment pas beaucoup être vus en compagnie d'un type ressemblant à un policier.

*

Le détective privé arriva au rendez-vous quelques minutes à l'avance. Il avait revêtu un trench-coat, car la journée était fraîche, bien qu'ensoleillée. Il faut dire que le printemps était encore jeune. Le sol du parc était libre de neige depuis peu et la pelouse ne commençait à verdir que par endroits. Il était trop tôt dans la saison pour que les employés municipaux aient sorti les quelques bancs meublant habituellement le parc en été. Francis avait donc attendu debout près d'un érable en bourgeons. Il ne tarda pas à voir apparaître un jeune homme mince et de petite taille qui entra dans le parc et se dirigea directement vers lui d'un pas rapide et décidé. L'arrivant dégageait un air de grande confiance en soi, voire de quasi arrogance. Pas étonnant chez quelqu'un ayant été autant choyé par la chance si tôt dans la vie, se dit le détective privé.

Steve Beaupré – c'était lui à n'en pas douter – ne portait rien par-dessus son veston et il avançait les bras croisés pour se protéger du froid. Décidément, il s'attendait à une rencontre très brève, pour s'être si peu vêtu, pensa Francis. Cela le fit sourire, car il se dit qu'il ne laisserait pas repartir le jeune informaticien avant d'avoir appris de lui ce qu'il voulait savoir. Il n'était peut-être pas le détective privé le plus couru en ville, mais il savait encore comment s'y prendre pour faire cracher le morceau à quelqu'un. Et il était de plus en plus persuadé qu'il y avait en l'occurrence bel et bien morceau à faire cracher. Il le voyait dans l'agacement exprimé par les yeux du jeune homme qui approchait. Il le voyait également dans l'impatience se dégageant de l'attitude générale de Beaupré. Surtout, il le ressentait par son sixième sens, celui que tout bon détective développe immanquablement avec le temps.

– Steve Beaupré ? dit Francis pour engager la conversation.

– Ouais, bingo ! Ce qu'on m'a dit de toi est donc vrai : tu es vraiment un super détective, répondit le jeune homme d'un ton moqueur, voulant sans doute suggérer qu'il avait eu vent de la mauvaise réputation faite au détective privé. Et j'ai devant moi Francis Bastien, je suis très fort moi aussi, n'est-ce pas ?

– Très fort en effet, fit Francis calmement, ignorant les paroles ironiques et agressives de son vis-à-vis. Puisque j'ai affaire à quelqu'un de très fort, je vais sûrement avoir l'occasion d'apprendre des éléments importants de l'affaire Varady qui sont demeurés invisibles à d'autres moins forts : à l'inspecteur Demers, par exemple.

Cette entrée en matière de Francis parut déconcerter son interlocuteur. Il hésita, en effet, un moment avant de reprendre la parole, et le fit en baissant le ton :

– J'aimerais pouvoir t'aider mais, comme je te l'ai dit hier au téléphone et, comme je l'ai également dit à l'inspecteur Demers, je ne sais rien de plus que ce que j'ai déjà déclaré à la police. Puisque tu sembles être au courant des détails de ma déposition, à en juger par ce que tu m'as dit hier, je ne pourrai vraisemblablement rien t'apprendre de nouveau.

Sachant qu'il lui fallait jouer de finesse, Francis sourit et prit son temps avant de répliquer :

– Je suis persuadé, au contraire, que tu me seras d'une grande utilité. Je sais bien que, lors des dépositions officielles, un facteur de nervosité entre en ligne de compte et que, sans le vouloir bien sûr, on peut aisément oublier des détails importants. Ce sont ces détails qui m'intéressent.

Tandis que le détective privé parlait, traçant des circonvolutions avant de fondre sur sa proie, celle-ci commençait à se détendre, croyant avoir affaire à un imbécile avec qui il serait facile de composer.

– Ma déposition a été complète. Je suis certain de ne pas avoir oublié de détails importants, fit Beaupré d'un ton assuré, croyant ainsi clore la question.

– Et le nom du *pusher* qui vous fournissait, Stefan Varady et toi, en cocaïne, ne crois-tu pas que c'est un détail important ? De mon côté, je dirais que c'en est un qu'on pourrait même qualifier de primordial, attaqua alors soudainement Francis.

Le visage de Beaupré perdit aussitôt son air détendu et sa voix redevint cassante et agressive lorsqu'il répondit :

– Sache que je n'ai jamais consommé de drogue, ni avec Stefan Varady ni avec personne d'autre. Si jamais tu insinues à nouveau le contraire, je te traînerai en justice. Je me suis informé sur ton compte et je sais très bien que tu n'as pas les moyens de te payer longtemps les services de conseillers juridiques. De mon côté, j'ai amplement les moyens de t'entraîner dans une véritable guerre juridique, de laquelle tu ressortiras complètement sur la paille, que tu la perdes ou non.

Francis se retint pour ne pas sourire. Ça y était : il avait sans peine réussi à faire perdre son sang-froid à son interlocuteur. Il lui serait donc maintenant sûrement plus aisé de lui arracher des informations. Conservant une voix posée, il déclara :

– Voyons, voyons, nous n'en sommes pas rendus à nous affronter devant les tribunaux et nous n'avons aucun intérêt, ni toi ni moi à le faire, crois-moi.

– Au contraire de la tienne, ma réputation est excellente et j'entends bien qu'elle le demeure. Alors je te préviens à nouveau que je ne tolérerai pas que tu m'accuses comme tu viens de le faire.

– Nous discutons tout simplement en privé et je soulève des questions tout à fait hypothétiques, rien de plus. Il n'est aucunement question que je t'accuse officiellement de quoi que ce soit d'illicite, je te l'assure. Tout au plus pourrais-je suggérer à un ami policier de soulever les mêmes questions hypothétiques auprès de l'inspecteur Demers, auquel cas, celui-ci viendra, j'en suis certain, te poser quelques questions à ce sujet. Mais, nous le savons toi et moi, tu es blanc comme neige (Francis se retint pour ne pas sourire en répétant le jeu de mots de son ami policier), alors il n'y aurait pas la moindre raison de t'inquiéter si cela se produisait. Le seul inconvénient pour toi, c'est seulement qu'il est toujours un peu désagréable de subir ces démarches officielles : questions parfois indiscrètes, réponses souvent mal interprétées, déclarations à signer… De toute façon, tu le sais aussi bien que moi pour être déjà passé par là. Comme tu as déjà tout dit aux policiers, il ne s'agira pour toi que de te répéter. Bien sûr, il faut éviter de contredire la première version, ce qui pourrait amener des embêtements : tu sais combien les policiers ont parfois tendance à monter en épingle des contradictions bien innocentes et à fouiller dans les détails sans importance… Mais quelqu'un comme toi n'a pas à craindre ce genre de désagréments, puisque tu es comme l'agneau qui vient de naître. Je ne te dérangerai donc pas plus longtemps.

À la fin de son laïus, Francis fit mine de se retourner pour s'en aller. Beaupré l'arrêta en lançant :

– D'accord, je vais parler.

Il fit une courte pause et continua :

– Tout ce que je sais, c'est que Stefan s'approvisionnait auprès d'un certain Boris qui se tient dans les bars du Vieux Québec. Je n'en sais pas plus au sujet de ce type. Je n'accompagnais jamais Stefan quand il allait se procurer de la coke et je n'en ai jamais consommé avec lui.

– Je ne m'intéresse aucunement à ce que tu as ou n'as pas fait. Tout ce que je désire, c'est de pouvoir communiquer avec celui qui fournissait Stefan Varady en drogue. Je devrais y parvenir si les informations que tu m'as données sont exactes. Sinon, je parierais gros que c'est la police qui va revenir t'interroger Quoi qu'il en soit, je communiquerai à nouveau avec toi au besoin. Au revoir, monsieur Beaupré.

La voix du détective s'était faite de plus en plus sèche. Décidément, ce Steve Beaupré ne l'aimait pas du tout et ce sentiment était tout à fait partagé. Sans attendre la réponse de son interlocuteur, Francis se retourna et partit en direction de la rue en bordure de laquelle était stationnée sa puissante voiture sport de modèle récent, un des rares luxes qu'il se permettait encore, malgré ses déboires professionnels et financiers.

⁂

De retour dans les locaux de l'entreprise pour laquelle il travaillait, Steve Beaupré croisa deux jeunes informaticiens qui se tenaient dans un corridor à proximité de la salle de repos et qui, verre de café à la main, bavardaient pendant leur pause. Comme il passait à leur hauteur, l'un d'eux voulut le taquiner en disant :

– Dis donc Steve, tu n'as pas l'air dans ton assiette. Fais attention : Stefan avait le même air lugubre les derniers jours avant qu'il ne lui arrive malheur.

L'autre ajouta :

– Ouais, on dirait que tu viens de rencontrer son fantôme.

– Vous avez intérêt à vous mêler de vos affaires, tous les deux, et à me ficher la paix. Quant à Stefan, laissez-le où il est.

– Ça va Steve, on voulait seulement te taquiner. Ne le prends pas ainsi, fit l'un des deux jeunes.

Beaupré continua son chemin en se disant : « Vous êtes des petits rigolos, mais vous allez apprendre à me ficher la paix. » Il se dirigea directement vers le bureau de la directrice des ressources humaines. En y arrivant, il dit :

– Marie, il va falloir que tu trouves un prétexte pour congédier Brisson et Vallières.

– Mais voyons Steve, je n'ai aucune raison de les congédier. Il y a encore à peine quelques jours, leur chargé de projet me disait à quel point il est satisfait de leur travail, sans compter que nous avons déjà perdu Stefan qui était assigné au même projet qu'eux. Si nous perdons une bonne partie de notre personnel expérimenté, comment veux-tu que nous rencontrions nos échéances ?

– Écoute Marie, je ne suis pas venu te demander ton opinion. Tu vas les congédier sans discuter ou tu prends la porte avec eux. Est-ce clair ?

– C'est très clair, en effet, s'inclina la jeune femme, sans oser rien ajouter.

Et Beaupré sortit de son bureau l'air satisfait.

Chapitre 2
À la recherche de Boris

Le soir même de sa rencontre avec Beaupré, le détective privé se rendit dans le Vieux Québec dans l'espoir de parler avec le fameux Boris. Francis entreprit de faire le tour des bars en demandant aux serveurs, aux barmans et à quelques clients, s'ils connaissaient un habitué des lieux portant ce prénom. Toujours, la réponse était négative. Finalement, il s'assit à une table devant une bière pression et réfléchit à la question pendant un moment. Il n'y pouvait rien, il avait l'air de ce qu'il était : un détective. Et cela incitait les gens à la prudence et au mutisme. Il lui fallait donc procéder d'une autre façon.

Il aborda dans la rue un jeune homme solitaire qui accepta de l'aider en échange de quelques dollars. Le jeune, qui semblait être au milieu de la vingtaine, portait cheveux longs, moustache et barbe hirsute : le type parfait pour être à la recherche d'un *pusher* qu'un copain lui aurait recommandé. Malgré l'offre de récompense, Francis avait eu de la difficulté à le convaincre de lui accorder son aide. Non sans raisons, le jeune homme craignait avoir affaire à « un flic ou quelque chose du genre ». Le détective privé le rassura en lui faisant croire qu'il était plutôt un père dont le fils devait de l'argent à un fournisseur de drogue. Comme son créancier l'aurait menacé, le fils craignait de se retrouver en sa présence. Le père voulait seulement rencontrer le type afin de le rembourser et ainsi obtenir qu'il laisse son fils en paix. Après s'être fait servir cette histoire, le jeune homme avait fini par accepter d'aider Francis.

En sa compagnie, une seconde tournée des débits de boisson fut entreprise. Francis entrait dans un bar ou un pub et s'assoyait à une table située en retrait. Peu après, son collaborateur d'un moment entrait à son tour et se rendait au comptoir ou en direction d'un serveur pour demander à voir Boris. Dans les six ou sept premiers bars ou pubs visités, cela ne donna rien.

Comme la démarche traînait un peu trop en longueur à son goût, le jeune barbu commençait à s'impatienter. En lui promettant quelques dollars de plus, Francis réussit à le convaincre de continuer à lui venir en aide, ne serait-ce que pour la visite de deux ou trois autres débits de boissons. Le détective privé commençait à désespérer du succès de sa tentative et à douter de la véracité de ce que lui avait dit Steve Beaupré. Peut-être le *pusher* nommé Boris n'était-il finalement que pure invention de sa part ?

Mais, à la deuxième tentative qui suivit, la chance tourna. Encore une fois, peu après que Francis se fut installé à une table, le jeune homme qu'il avait recruté entra et se rendit au bar derrière lequel trônait un barman entre deux âges. Celui-ci discutait avec deux clientes assises devant lui sur des tabourets. Interrompant la conversation, le jeune homme s'enquit encore une fois de Boris auprès du barman. Surprise : sans dire un mot et d'un air blasé, il lui désigna du menton une table située à sa droite, près du mur de l'autre côté de la salle. Un type dans la vingtaine avancée était assis derrière cette table. Le jeune barbu qui lui avait servi de complice regarda brièvement dans la direction de Francis pour s'assurer qu'il avait bien vu ce qui venait de se passer. Le détective inclina à peine la tête en guise d'acquiescement et l'autre se dirigea immédiatement vers la porte du pub, n'ayant plus rien à voir dans l'affaire et sans doute impatient d'aller dépenser les quelques dollars qu'il avait gagnés.

De son côté, Francis porta son attention sur le type désigné par le barman. Il portait une veste de cuir noir à boutons chromés. Il avait des cheveux blonds très pâles coupés court et n'avait pas l'air très commode avec sa mâchoire carrée et crispée et son regard glacial. Une adolescente maigrichonne aux cheveux colorés rouge vif et portant elle aussi une veste de cuir noir était à la même table. Elle était assise sur le bout de sa chaise, mains appuyées sur le bord de la table, comme si elle était juste sur le point de se lever.

Le détective privé quitta son siège et se dirigea sans hâte dans leur direction. Le type à la veste de cuir, à qui rien n'échappait de ce qui se passait à quelques mètres de rayon de sa table, le regarda approcher en le dévisageant fixement d'un air peu engageant. Sans se laisser démonter, Francis soutint son regard et s'arrêta devant la table de celui qui était vraisemblablement le vendeur de drogue dont lui avait parlé Beaupré.

– Boris? fit-il en s'adressant au jeune homme.

Avant de répondre, celui-ci lança un regard rageur à l'adolescente assise à sa table qui, contre toute attente, n'était pas encore partie. Ayant bien reçu le message lancé par celui qu'elle semblait craindre, elle se leva aussitôt comme un ressort et s'éclipsa en un instant, sans dire un mot et sans même oser regarder l'intrus.

Négligeant de confirmer son identité, le jeune homme reporta son attention sur Francis en le dévisageant d'un air irrité. Après un moment de silence au cours duquel il parut évaluer son vis-à-vis, il finit par dire :

– Qui es-tu et qu'est-ce que tu me veux? Tu sens le flic à plein nez.

– J'ai des questions à te poser au sujet de Stefan Varady, fit le privé, ignorant à son tour la question se rapportant à son identité.

– Je ne m'étais pas trompé, j'étais certain que tu étais un bouffeur de beignes. Je ne connais pas de Stefan Varady et je n'ai donc rien à te dire à son sujet.

– On prétend que Varady te devait une importante somme d'argent. Est-ce exact? tenta Francis.

– Est-ce que je dois communiquer avec mon avocat? répondit Boris, en sortant de sa poche un téléphone portatif.

– Non, je ne suis pas de la police, avoua alors Francis. Placé au pied du mur, il ne lui restait plus qu'à jouer la franchise. Je suis détective privé et on m'a chargé d'enquêter sur la mort de Varady.

– Dans ce cas, je n'ai rien à te dire. Fiche le camp d'ici avant d'avoir des problèmes.

– J'ai dit que je ne suis pas de la police, je n'ai pas dit que je suis sans ressources ni appuis. Je n'ai moi aussi qu'à passer un petit coup de fil et, d'ici une heure, on viendra retourner tes poches pour voir ce que tu y caches. Et je peux renouveler la blague de temps en temps, quand ça me tente. Tu vois ce que je veux dire? Je crois que ce n'est pas très bon pour le genre de commerce que tu tiens. Qu'en penses-tu?

– D'accord, je pense que je n'ai pas vraiment le choix, céda le *pusher.* Mais je ne peux pas te parler ici. Demain soir, rends-toi devant l'hôtel de ville à vingt-deux heures. Je t'y rejoindrai et on pourra discuter en paix. Maintenant, disparais au plus vite, tu vas gâcher ma soirée de ventes avec tes allures de flic, sans compter que je vais passer pour avoir de mauvaises fréquentations.

– Si tu ne viens pas au rendez-vous demain, tu sais ce qui va arriver, prévint Francis avant de partir.

Rendu sur le trottoir, il respira une bonne bouffée d'air, satisfait de la tournure de l'enquête. Il retourna sans se presser vers le stationnement où il avait laissé sa voiture, jouissant au passage de la beauté tant du paysage urbain qui l'entourait que de celle des jolies Québécoises et touristes qu'il croisait.

⁂

Les piétons étaient nombreux lorsque Francis arriva, au volant de son automobile, dans les environs du lieu de rendez-vous, un peu avant l'heure fixée. Il passa devant l'hôtel de ville, histoire de repérer les lieux. Il vit immédiatement que Boris l'avait précédé. Celui-ci semblait seul et attendait sur le trottoir, dos à l'entrée de la bouche d'escalier donnant accès au stationnement souterrain jouxtant le siège du gouvernement municipal. Il semblait impatient et, heureusement, jeta un coup d'œil à sa montre au moment même où Francis passait devant lui. Quelques mètres plus loin, le détective privé tourna à droite sur la rue Sainte-Anne, où se trouvait une rampe d'accès au stationnement souterrain.

Peu après, Boris était encore en train de scruter nerveusement la rue et les trottoirs environnants quand Francis, émergeant de la bouche d'escalier du stationnement, arriva derrière lui. Le *pusher* sursauta lorsqu'il entendit prononcer son nom.

– Tu es en retard, reprocha-t-il en se retournant.

– De deux ou trois minutes à peine.

– Je n'aime pas attendre. J'étais sur le point de m'en aller.

– Si tu l'avais fait, tu sais ce qui serait arrivé.

– Je n'aime pas qu'on me menace non plus. C'est une habitude que tu devrais perdre, si tu me permets de te donner un conseil d'ami.

– Comme je l'ai fait jusqu'à maintenant, je peux très bien continuer à me passer de ton amitié. J'ai l'impression que lorsqu'on a des amis dans ton genre, on n'a pas besoin d'ennemis. Justement, puisqu'il est question d'ennemis, j'ai à te parler de quelqu'un qui en avait au moins un plutôt agressif : je crois savoir que Stefan Varady te devait de l'argent.

Le vendeur de drogue tourna la tête à droite et à gauche en regardant des gens passer près d'eux, histoire de signifier qu'on pouvait entendre leur conversation.

– Ce n'est pas l'endroit pour parler de ça, dit-il.

– Où veux-tu qu'on en parle? demanda Francis.

– Suis-moi, fit le *pusher* en se mettant immédiatement en marche.

Francis emboîta le pas au jeune homme, qui se dirigeait vers le sud, montant la pente légère en direction de la rue Saint-Louis. Cette artère, sur laquelle avaient pignon sur rue plusieurs restaurants réputés et boutiques de souvenirs pour touristes, était très fréquentée. Alors, Francis ne fut-il pas surpris de voir Boris tourner vers l'ouest avant de l'atteindre et emprunter des rues beaucoup plus discrètes. Ils marchaient rapidement sur les trottoirs auxquels allaient se buter les façades contiguës de ces immeubles quelques fois centenaires qui contribuent à donner à la ville de Québec son cachet européen.

Ils croisaient maintenant rarement des passants. L'allure soutenue par Boris faisait que le détective privé avait de la difficulté à se maintenir à sa hauteur et à engager la conversation. Restant dans les rues peu fréquentées, ils étaient arrivés à peu de distance de la porte Saint-Louis, cette ouverture dans le mur de fortifications historiques de la vieille ville de Québec par laquelle passe la rue du même nom.

– Où allons-nous? demanda Francis. Arrêtons-nous ici pour parler. Nous serons tranquilles puisque nous sommes seuls.

– Encore un petit effort, nous sommes presque rendus.

En effet, Francis ne tarda pas à comprendre ce que Boris entendait par « presque rendus » quand, après quelques pas à peine, en arrivant à l'intersection suivante, deux types se retrouvèrent juste derrière eux. Ils les avaient vraisemblablement attendus dissimulés derrière le mur de la maison qui faisait le coin de la rue. Les deux hommes se placèrent immédiatement derrière Francis et l'un d'eux lui montra un couteau avant de le lui placer à hauteur du rein en disant : « continue à marcher et tais-toi. Si tu cries ou cherche à attirer l'attention, je te pique. »

« Je me suis laissé avoir comme un enfant d'école », pensa amèrement Francis. « Je suis tombé à pieds joints dans leur guet-apens. » Mais il était trop tard : le vin était tiré et il lui fallait le boire jusqu'à la lie. Il garda donc le silence, continuant à suivre le jeune *pusher*. Le groupe serré des quatre hommes s'engagea bientôt sur les Plaines d'Abraham par l'entrée immédiatement à l'ouest de la Citadelle, l'historique caserne militaire bien connue des Québécois et des touristes. Le sinueux chemin asphalté qu'ils empruntèrent était faiblement éclairé. En fait, c'était le seul éclairage dans cette partie du parc. Quand on s'éloignait de l'étroite artère, l'obscurité croissait donc très rapidement.

« C'est l'endroit idéal pour exécuter un détective privé qu'on trouve gênant », se dit Francis. Le groupe avançait sur la pelouse, dans la demi-obscurité. Ils ne voyaient plus guère personne. Profitant de l'absence de témoins, les deux gorilles le poussaient dorénavant sans ménagement pour le forcer à avancer d'un pas rapide.

Ils s'arrêtèrent près d'un boisé mature où la noirceur était profonde. On ne devinait aucune autre présence humaine à proximité. Aussitôt arrêtés, sans crier gare, un des deux types qui avaient poussé Francis jusque-là, l'agrippa brusquement et fermement par derrière à bras-le-corps et le fit pivoter face à son acolyte. Celui-ci se mit immédiatement à marteler le détective privé de coups de poings assenés au corps et au visage. La victime de ce mitraillage ne tarda pas à s'effondrer au sol et ses deux agresseurs continuèrent alors à le frapper, cette fois-ci à coups de pieds. Quand ils en eurent assez de cet exercice, l'un d'eux dit à Francis, qui n'avait pas perdu conscience malgré tout :

– Considère-toi maintenant averti. Tu vas ficher la paix à Boris avec tes questions et le laisser travailler sans lui faire de problèmes. J'espère pour toi que tu as bien compris, parce qu'il n'y aura pas d'autre avertissement. La prochaine fois, on te fait la peau.

Sans répondre, ne serait-ce que parce qu'il en était parfaitement incapable, Francis tourna légèrement la tête et parvint à voir dans la pénombre Boris qui, se tenant en retrait de quelques pas, le regardait d'un air satisfait. Sans rien dire d'autre, les trois hommes s'en allèrent en abandonnant leur victime sur place.

Le détective privé demeura immobile pendant un certain temps. Temps dont il jugea par la suite la durée difficile à évaluer. D'ailleurs, peut-être avait-il même perdu brièvement conscience. Malgré la douleur qu'il ressentait à divers endroits de son corps, il finit par réussir à bouger lentement et parvint à se mettre debout. Péniblement, il se mit en marche en direction de la rue Saint-Louis, qu'il finit par atteindre après un temps qui lui parut interminable.

Il y croisa quelques piétons qui le regardèrent d'un air ahuri. Il est vrai qu'il ne payait pas de mine avec ses ecchymoses au visage, sa posture de guingois à cause de la douleur et sa main gauche tenant ses côtes opposées. « *May I help you*[1] ? » s'enquit même un homme d'une cinquantaine d'années et de mise soignée, sans doute un touriste venu admirer les charmes de la « Vieille Capitale » en compagnie de son épouse. Francis lui fit signe que non de la tête. Comme il venait d'apercevoir un taxi libre qui approchait, il leva la main maladroitement afin d'attirer l'attention du chauffeur. Celui-ci parut hésiter à s'arrêter. Compte tenu du piètre état dans lequel se trouvait l'éventuel client, il croyait probablement avoir affaire à quelque ivrogne « sur la brosse ». Mais, le bon samaritain se trouvant près de Francis leva à son tour la main, de l'air impératif de quelqu'un habitué à donner des ordres, pour faire signe lui aussi au chauffeur de taxi d'arrêter son véhicule. Ce geste fut sans doute déterminant dans la décision du chauffeur, qui s'immobilisa finalement. Le touriste ouvrit la portière à Francis, qui s'assit précautionneusement sur la banquette. Avant de refermer la portière, l'homme prit soin de lancer à l'adresse du chauffeur : « *Bring this man to the hospital. He obviously needs some care*[2] ».

Une fois en route, le chauffeur dit à son passager : « Je t'emmène à l'Hôtel-Dieu, c'est l'hôpital le plus près. Est-ce que tu as de quoi me payer au moins ? »

---

1. Puis-je vous aider ?
2. Amenez cet homme à l'hôpital. De toute évidence, il a besoin de soins.

– J'ai de quoi te payer, ne t'inquiète pas pour ça. Quant à la destination, tu ne m'emmènes pas à l'hôpital, mais plutôt au stationnement de l'hôtel de ville.

– C'est toi qui payes, fit l'autre pour indiquer qu'il se plierait à sa demande.

« Décidément, le règlement de la course est la seule chose qui l'intéresse », songea Francis. Changeant aussitôt d'objet de réflexion, il se dit ensuite qu'il s'était encore bien fait avoir en acceptant cette enquête. « Bof, conclut-t-il cependant, si je veux pouvoir continuer à faire le métier que j'adore, je dois bien accepter les quelques enquêtes qui se présentent avec les dangers qu'elles comportent. Après tout, ce sont les risques du métier, comme on dit.

Francis se fit conduire jusqu'à proximité de son auto. Il paya le chauffeur et sortit du taxi avec mille précautions. De la même façon, il réussit à se mettre au volant de son automobile. Roulant lentement et grimaçant de douleur plus souvent qu'autrement, il se rendit jusqu'à son bureau. C'est là qu'il avait l'habitude de se réfugier lorsqu'il était en piteux état – habituellement parce qu'il avait trop bu – et qu'il ne voulait pas rentrer à son appartement de peur que ses voisins ne le voient ainsi. Il s'installa sur le canapé de son bureau et parvint, par moments, à dormir malgré la douleur lancinante qui le tenaillait.

Chapitre 3
Lendemain difficile

Contrairement à ce qu'il faisait en temps normal, Francis avait fermé la porte de son bureau. En arrivant au travail le lendemain matin, Marie-Andrée sut immédiatement que son patron avait dormi là. Elle fit donc attention pour ne pas être trop bruyante.

Francis avait finalement réussi à dormir un peu plus profondément le matin venu. Il sursauta lorsque la sonnerie du téléphone le réveilla. Son mouvement brusque raviva immédiatement la douleur. C'était son ami policier, le sergent Landry. Il désirait savoir si sa rencontre de la veille avait été fructueuse.

– Je ne crois pas que c'est exactement ainsi que je la qualifierais, répondit-il.

– Dis donc, tu n'as pas l'air très en forme, ce matin, si j'en juge par ta voix.

– Dire que je ne suis pas très en forme relève de l'euphémisme. J'ai plutôt l'impression d'être passé sous un train.

– Est-ce que c'est encore une femme qui t'a mis dans cet état? C'est ce qui arrive quand on a une constitution de lapin et qu'on se prend pour un taureau. Si tu veux mon avis, Marie, ta charmante ex-épouse a bien eu raison de te quitter. Non seulement tu n'étais pas à la hauteur avec elle au lit, mais en plus elle devait te partager avec d'autres femmes.

– Ne plaisante pas au sujet de Marie, je t'en prie. C'est le seul sujet que je suis incapable de prendre à la légère.

– Excuse-moi, tu as raison, c'est un sujet que je devrais éviter. Je vais plutôt revenir à celui pour lequel je te téléphone : est-ce que ton enquête sur la mort du jeune Varady a progressé ?

– En un sens oui. Je crois encore plus qu'avant que tu te trompes dans cette affaire. La dette de drogue n'est peut-être pas à exclure comme raison du meurtre, après tout. Du moins, si j'en juge par la crainte que le type qui fournissait Stefan Varady en cocaïne semble avoir à répondre à mes questions à ce sujet.

Francis raconta alors à son ami ce qui s'était passé la veille.

– Laisse-moi te dire qu'ils ne l'emporteront pas au paradis. On ne laisse pas tabasser un confrère impunément dans la police, lui répondit celui-ci.

– Je te rappelle que je ne fais pas partie de la police, fit remarquer Francis.

– Pour moi, c'est tout comme.

– Écoute-moi Robert : avec ce qui s'est passé hier soir, je considère avoir obtenu confirmation que le jeune Varady a été abattu à cause d'une dette de drogue. Comme l'inspecteur Demers est du même avis et qu'il enquête déjà sur l'affaire, avec des moyens cent fois supérieurs aux miens, je ne vois vraiment pas pourquoi je poursuivrais une enquête parallèle à la sienne. Alors, c'est ce que je vais dire à ma cliente en lui remettant ma note de frais, incluant une prime pour passage à tabac. Je crois que les types impliqués dans cette histoire n'entendent pas à rire et je ne tiens pas à leur chercher des poux plus longtemps. Alors, s'il te plaît, ne te mêle pas de ça. Pas question d'envenimer les choses.

– Crois-moi Francis, je sais comment il faut traiter avec ces gens-là. Si on brasse la cage un peu, ils vont répondre à nos questions. C'est que, malgré tout et contrairement à toi, je ne crois toujours pas qu'ils ont assassiné Varady et je veux en avoir le cœur net. S'ils ont réagi de cette façon, c'est probablement que tu les auras tout simplement énervés quand tu as débarqué à l'improviste avec tes gros sabots et tes questions. Laisse-moi faire et nous aurons le fin mot de cette histoire.

– Et que fais-tu de Demers ? Je te rappelle qu'il enquête déjà sur l'affaire, puisque tu sembles l'avoir oublié si j'en juge par tes divagations. Il n'est pas du genre à prendre à la légère que l'on intervienne dans ses enquêtes, comme tu me l'as toi-même déjà fait remarquer il n'y a pas si longtemps. Mais j'oubliais qu'à ton âge la mémoire a plutôt tendance à avoir des défaillances.

– Demers ne pourra jamais faire le lien entre ce qui va se passer et l'affaire Varady, je te l'assure, tête de pioche de privé à la manque.

– Je n'en suis pas si certain et je n'ai pas du tout envie de vérifier. J'ai suffisamment d'ennuis comme ça. Alors, je te le répète Mathusalem, et j'espère que ton grand âge ne t'a pas rendu trop dur d'oreille pour entendre : ne te mêle pas de ça !

Avant même que Francis ait terminé sa phrase, le sergent Landry avait déjà raccroché. Le privé déposa le combiné à son tour et se mit à réfléchir à tout cela d'un air soucieux. Sa réflexion ne tarda pas à être interrompue par la sonnerie du téléphone. Marie-Andrée répondit après avoir laissé sonner trois fois, comme elle avait l'habitude de le faire, au grand agacement de Francis. Il lui avait demandé à plusieurs reprises de répondre avec plus d'empressement, mais elle n'en faisait qu'à sa tête.

– Eh patron, c'est pour toi, lança-t-elle de sa voix bourrue, en tournant la tête en direction du bureau de Francis.

Elle avait pris l'habitude de l'appeler « patron » ou même « Frank » parce qu'elle savait très bien qu'il avait horreur de ces deux appellations. À ce chapitre-là également, comme à bien d'autres d'ailleurs, elle n'en faisait qu'à sa tête. Mais Francis ne pouvait pas se passer d'elle. Elle était une réceptionniste, une secrétaire et même, à l'occasion, une assistante hors pair. Elle connaissait par cœur des détails de dossiers auxquels Francis avait travaillé des années plus tôt. Elle pouvait retrouver, en un tournemain, un document devenu stratégique et dont Francis avait oublié jusqu'à l'existence depuis longtemps. Elle était précieuse également pour son habileté à glaner des informations auprès de son propre réseau d'informateurs qu'elle avait bâti avec le temps. Tout compte fait, il fallait bien au détective privé accepter les dehors bourrus et la tendance de Marie-Andrée à lui tenir tête. D'ailleurs, au fond, il aimait bien ces traits de caractère de sa secrétaire. Cependant, jamais il n'aurait accepté de l'avouer. Interrompant ses réflexions, il saisit le combiné téléphonique pour recevoir l'appel qui lui était destiné.

– Francis Bastien, se présenta-t-il.

– Monsieur Bastien, ici Sylvia Varady. J'ai du nouveau au sujet de notre affaire.

– Moi aussi, j'ai du nouveau. J'allais justement communiquer avec vous à ce sujet. Vous tombez donc on ne peut plus à pic. Il serait bon que nous nous rencontrions afin que je vous remette mon rapport et ma note.

– Votre rapport et votre note? Vous allez vite en affaire. Je crois deviner que vous êtes rapidement tombé d'accord avec votre ami l'inspecteur Demers.

– Ce n'est pas mon ami, loin de là, mais effectivement, je crois qu'il a raison dans cette affaire.

– Je vous en prie monsieur Bastien, avant de sauter aux conclusions, attendez de savoir ce que j'ai découvert. Donnez-moi l'occasion de vous présenter les faits nouveaux dont j'ai pris connaissance. Cela vous convaincra que l'inspecteur Demers se trompe; j'en suis sûre et certaine. Je pourrais aller vous voir dès cet aprèsmidi, si vous êtes d'accord.

– Non, pas cet après-midi, je suis pris. Ni demain d'ailleurs. Après-demain, en début d'après-midi, ça vous va?

– D'accord, du moment que vous acceptez de m'accorder une chance de défendre ma cause auprès de vous, je veux bien attendre jusque-là.

– Ne vous faites pas trop d'illusions, madame Varady, je vous préviens : je serai très difficile à convaincre, vous verrez.

– J'accepte le défi. Vous verrez également que j'ai des arguments très convaincants. Au revoir, monsieur Bastien.

« Décidément, il n'est pas facile de se débarrasser de cette femme », se dit Francis. C'est alors qu'il entendit :

– Espèce de menteur, tu aurais très bien pu la recevoir cet après-midi. Tu en avais amplement le temps.

Marie-Andrée s'adressait à lui, plantée dans l'embrasure de la porte du bureau, qu'elle venait d'ouvrir.

– Je n'avais pas envie de la voir aujourd'hui. Je suis dans un état pitoyable après ma mésaventure d'hier soir et, de plus, j'ai grand besoin de décompresser avant de lui parler.

– Décompresser ? D'habitude, cela signifie prendre une cuite, si je ne m'abuse.

– Dis donc, de quoi je me mêle ? D'ailleurs, de quel droit écoutes-tu aux portes ?

– Justement Frank, tandis que je me mêle de tes affaires : dis-moi donc pourquoi tu refuses aussi obstinément de poursuivre cette enquête ?

– C'est que, pour moi, elle est classée cette affaire : ce sont des trafiquants de drogues qui ont liquidé le jeune Varady, point final. Il n'y a rien d'autre à découvrir qui en vaille la peine.

– Même si cela était vrai, qu'est-ce que ça fait ? Si la cliente est prête à payer pour que tu enquêtes encore, pourquoi ne pas lui faire plaisir ? Ça apporte au moins de l'eau au moulin, pas vrai ? Ce n'est pas pire que lorsque des avocats âpres au gain étirent leurs causes afin d'augmenter leurs honoraires. D'autant que, dans ton cas, c'est la cliente qui te demande de poursuivre le travail.

– Fiche-moi la paix, s'exaspéra le détective en se levant précautionneusement de son fauteuil. En esquissant une grimace de douleur, il décrocha au passage son veston de la patère et se dirigea, d'une démarche maladroite, vers la sortie en lançant :

– Je m'en vais.

– Bonne cuite, répondit Marie-Andrée, un sourire amer se dessinant sur les lèvres.

⁂

Adossé au mur, Boris était assis à sa table habituelle, située à quelque distance du bar auquel se tenait le serveur à l'air désabusé. Il était relativement tôt dans la soirée et plusieurs tables étaient encore libres dans le bar. Le *pusher* venait de se commander une nouvelle bière lorsqu'il remarqua qu'un troisième client qui lui était inconnu venait d'entrer dans l'établissement.

Comme les deux autres, l'homme était seul, portait les cheveux courts et était vêtu sobrement de façon à ne pas attirer l'attention. Sans jeter un seul regard à Boris, le nouveau venu alla s'asseoir à un tabouret devant le bar. Les deux autres types s'étaient attablés chacun à une table libre. Le vendeur de drogues eut alors l'impression que l'un d'eux jeta un regard en coin dans sa direction. « Ça commence à sentir mauvais », se dit Boris. Sans hésiter, il se leva aussitôt et, d'un pas rapide, se dirigea vers les toilettes, à proximité. Une fois rendu, il se dépêcha d'entrer dans un cabinet et de tirer le loquet. Déjà, il entendait des pas précipités. On frappa violemment à la porte du cabinet où il avait trouvé refuge en criant :

– Sors de là tout de suite.

Il eut juste le temps de jeter dans la cuvette tous les sachets de poudre blanche qu'il avait sur lui et de tirer la chasse avant que le type qui s'était assis au bar ne se glisse sous la porte et le saisisse d'un bras en lui appliquant une clef au cou avant d'ouvrir le loquet. Boris fut alors tiré violemment à l'extérieur du cabinet et se retrouva entouré de plusieurs hommes dont certains étaient en uniforme de police. Il leur lança :

– Meilleure chance la prochaine fois, bande de bouffeurs de beignes.

L'un des hommes lui décocha alors un solide coup de poing à l'abdomen. Le *pusher* se plia en deux en geignant.

⁑

Francis Bastien, le détective privé déchu, avait entrepris une tournée des bars peu recommandables qu'il connaissait, des bars où son allure peu reluisante avec son visage couvert d'ecchymoses et sa démarche douloureuse attiraient à peine l'attention et n'inquiétaient pas vraiment. Sa tournée perdura jusqu'aux petites heures du matin le surlendemain. Et c'est ce matin-là qu'il s'était réveillé dans son bureau et s'était mis à réfléchir à tout ce qui s'était produit depuis le moment, datant d'à peine quelques jours, où il avait fait la rencontre de Sylvia Varady. Son souvenir de ce qu'il avait fait tout au long de sa virée était très flou par endroits. Ainsi, il se rappelait vaguement avoir passé la nuit précédente avec une femme qu'il avait rencontrée dans un des bars où il s'était rendu prendre un verre, une femme qu'il ne reverrait probablement jamais et qu'il ne serait même pas certain de reconnaître s'il la croisait dans la rue. Qu'importe ces moments de plongée en eaux troubles, il lui fallait maintenant rassembler tous ses moyens pour remonter à la surface et trouver la force de surnager quotidiennement. Il se rappela justement qu'il lui fallait rencontrer Sylvia Varady cet après-midi-là. Il se dit qu'il avait fort à faire pour être alors quelque peu présentable.

Chapitre 4
Le maître de jeu

Mallette à la main, Sylvia Varady se présenta à l'heure prévue au cabinet de détective privé.

– Le patron vous attend, lui dit Marie-Andrée en lui désignant la porte ouverte du bureau de Francis.

La cliente entra et referma la porte derrière elle. Elle déposa sa mallette sur le sol, à côté du fauteuil sur lequel elle prit place. Francis était enfin parvenu, au cours de la matinée, à faire un ménage sommaire dans les piles de papiers qui encombraient la surface de sa table de travail.

– Comme je vous l'ai dit au téléphone avant-hier, j'ai du nouveau à vous apprendre, dit Sylvia Varady. Mais, que vous est-il arrivé ? changea-t-elle aussitôt de sujet, comme elle venait de se rendre compte du triste état dans lequel se trouvait l'homme assis devant elle. On dirait que vous vous êtes trouvé sur le chemin d'un troupeau de buffles sauvages pris de panique. Une de vos enquêtes aurait-elle présenté des difficultés particulières ?

– Je trouve originale l'image que vous venez d'utiliser : cependant, ce ne sont pas des buffles sauvages que j'ai rencontrés, mais plutôt les gens qui fournissaient votre frère en drogue et auxquels il est fort probable qu'il devait de l'argent. Donc, l'enquête qui a présenté des difficultés particulières, comme vous l'avez si bien dit, est celle que vous m'avez confiée, madame Varady.

– J'en suis absolument désolée, fit la jeune femme. Ces brutes vous ont, de toute évidence, vraiment fait passer un très mauvais moment.

– Quoi qu'il en soit, cela a permis la progression de l'enquête. J'ai donc, dans ma note jointe au rapport d'enquête que j'ai ici avec moi et que je vais vous remettre, ajouté un supplément relatif à ce « mauvais moment » auquel vous venez de faire allusion. Décidément, vous avez le don de trouver les termes qui décrivent parfaitement bien les situations, commenta Francis.

– Je constate que vous êtes en colère. Je suis consciente que le terme « mauvais moment » est quelque peu euphémique, compte tenu de l'état dans lequel vous vous trouvez. J'avoue ne pas avoir trouvé de terme plus approprié et je m'en excuse très sincèrement. Si je disais plutôt que vous avez été victime d'une agression sauvage, serais-je pardonnée ?

– En fait, le terme utilisé n'a vraiment pas grande importance. Excusez-moi à mon tour, je suis un peu à pic ces temps-ci.

– Oublions cela, j'aimerais plutôt vous montrer ce que j'ai découvert.

– Vous perdez votre temps madame Varady, dit Francis (et le mien aussi, pensa-t-il). Votre frère a été exécuté par ses fournisseurs de drogue parce qu'il leur devait de l'argent, voilà tout.

– Laissez-moi seulement vous montrer ce que j'ai apporté, cela ne vous engage à rien.

Tandis qu'elle parlait, Sylvia Varady avait posé sa mallette sur ses genoux et, l'ouvrant, en avait sorti une enveloppe de papier kraft légèrement gonflée par son contenu. Elle referma sa mallette et posa dessus l'enveloppe qu'elle venait d'en sortir en ajoutant :

– Vous savez, depuis que mon frère a été assassiné, je n'osais pas toucher à ses affaires personnelles. Quelque chose m'en empêchait.

Peut-être que je n'avais pas vraiment accepté sa mort et que je ne parvenais pas encore à me débarrasser de l'impression vague qu'il reviendrait d'un jour à l'autre et qu'il apprécierait certainement de retrouver ses choses intactes. Finalement, au cours des derniers jours, j'ai commencé à vaincre mes résistances et à farfouiller dans ce qui appartenait à Stefan, en particulier dans les fichiers se trouvant sur le disque dur de son ordinateur. Et j'y ai découvert des choses fort intéressantes. Voici, par exemple, la copie imprimée du texte d'un courriel que mon frère a reçu près d'un mois avant sa mort.

En prononçant cette dernière phrase, Sylvia Varady avait ouvert l'enveloppe qu'elle avait apportée. Elle en avait sorti une pile de feuilles de papier, et avait saisi celle qui se trouvait sur le dessus et l'avait tendue à Francis.

L'en-tête du courriel comportait quatre lignes. Sur la première, servant à indiquer l'objet du message, on pouvait lire : « *Your defeat on recent Ultimate Game duel.* [3] » La seconde ligne indiquait la date d'expédition du message. Sur la troisième ligne, était indiqué « *Ultimate Game* » en guise d'identification de l'expéditeur ainsi que l'adresse électronique de celui-ci. Enfin, sur la quatrième et dernière ligne de l'en-tête, on pouvait lire l'adresse électronique du destinataire, soit celle de Stefan Varady. Le texte qui suivait disait laconiquement : « *Sorry, you were defeated on your recent Ultimate Game duel. Remaining fees are due and will be collected in a near future.* [4] » En guise de signature, le terme « *The Game Master* » [5] était imprimé en dernière ligne du message que Stefan Varady avait reçu, consulté, et ensuite archivé sur son disque dur.

– Je dois avouer que je ne comprends pas grand-chose à ce charabia. À première vue, il me semble que votre frère ait participé

3. Votre défaite lors d'un récent duel de jeu ultime.
4. Nous sommes désolés, vous avez subi la défaite lors de votre récent duel de jeu ultime. Les droits à payer seront perçus sous peu.
5. Le maître de jeu.

à une joute de jeu électronique sur Internet. Je ne vois pas du tout ce que cela a à voir avec son assassinat, commenta Francis.

– Attendez d'avoir vu les autres courriels que Stefan a reçus en provenance de la même source. Voici le premier message que ce « *Game Master* » a envoyé à mon frère environ six mois avant sa mort :

Ce disant, Sylvia Varady tendit à Francis une autre feuille sur laquelle était également imprimé un message de courrier électronique qui disait : « *Your participation fees well received. Opponent selected. His pseudonym : Tsunami. Your pseudonym : Starfighter. Ultimate Game duel scheduled for tomorrow 11 p.m., Canada's Eastern Standard Time.* [6] » Les paramètres d'origine et de destination étaient effectivement, comme l'avait dit Sylvia, les mêmes que pour l'autre message.

– Voici encore un message en provenance du maître de jeu et que Stefan a reçu deux jours après celui que je viens de vous montrer, ajouta la cliente.

Le texte imprimé disait cette fois-ci : « *You won your Ultimate Game duel on Tsunami. Your reward to be sent shortly.* [7] »

– En voici encore d'autres du même genre.

En consultant les quatre autres feuilles qu'il avait en mains, Francis constata qu'à deux autres reprises, des duels de « jeu ultime » avaient été proposés à Stefan Varady par le « maître de jeu » et qu'à deux autres reprises, il avait été déclaré vainqueur et avait été prévenu qu'une récompense lui serait acheminée sous peu.

– Je ne vois toujours pas où vous voulez en venir, fit Francis. Vous m'avez déjà dit vous-même que votre frère était un virtuose

6. Vos droits de participation ont été reçus. Adversaire sélectionné. Son pseudonyme : Tsunami. Votre pseudonyme : Starfighter. Votre duel de jeu ultime est prévu pour demain à 23 h, heure normale de l'est du Canada.

7. Vous avez gagné le duel de jeu ultime vous opposant à Tsunami. Votre gain vous sera versé sous peu.

des jeux électroniques. Dans ce cas, qu'il ait gagné quelques joutes livrées sur Internet n'a vraiment pas de quoi surprendre.

– Attendez, ce n'est pas tout. Voici ce que j'ai également découvert dans les papiers de mon frère.

La cliente tendait maintenant à Francis un petit carnet bleu foncé en disant :

– C'est un livret de banque pour un compte en dollars américains que Stefan possédait.

Francis se mit à feuilleter le livret tandis que Sylvia poursuivait :

– Vous pouvez voir que le dépôt initial est de vingt mille dollars et qu'il a été effectué à peu près au moment où mon frère a commencé à recevoir des messages électroniques du maître de jeu.

– Vous avez raison.

– De plus, la date à laquelle ce dépôt initial a été effectué est celle du lendemain du jour où Stefan a retiré les vingt-neuf mille dollars de son autre compte de banque et qu'on croyait mystérieusement disparus ou utilisés par mon frère pour payer une dette de drogue.

– Vous avez raison là aussi. Vingt-neuf mille dollars canadiens équivalent à près de vingt mille dollars américains, si je ne m'abuse.

– De toute évidence, c'est là qu'est passé l'argent de mon frère.

– Comment se fait-il qu'il n'ait pas été question de ce compte de banque avant aujourd'hui ? demanda Francis.

– Pour ma part, j'ignorais tout à fait l'existence de ce compte avant de découvrir ce carnet bien caché sous des vêtements dans le fond d'un tiroir de mon frère. En ce qui concerne le service de police, je suppose qu'on était tellement certain d'avoir trouvé le mobile du meurtre qu'on n'a pas cherché plus loin.

– Je constate que toutes les transactions qui ont été effectuées dans ce compte concernent des sommes importantes, commenta

Francis. Tous les retraits sont de vingt mille dollars et tous les dépôts sont de vingt-cinq mille dollars. En fait, il y a eu trois retraits et trois dépôts différents.

– Et vous constaterez que les dates des retraits précèdent de peu les courriels accusant réception des droits payés. De plus, les dates des dépôts suivent de près celles où Stefan a reçu des messages indiquant qu'il devait toucher sous peu un prix à la suite d'une victoire sur un adversaire.

Feuilletant les documents qu'il avait en mains et vérifiant les dates des transactions effectuées dans le compte de banque, Francis approuva :

– Vous avez parfaitement raison. Je ne sais pas à quel jeu votre frère jouait exactement, mais l'enjeu en était de toute évidence très élevé. Il semble qu'il ait misé à trois reprises la bagatelle de vingt mille dollars américains et ait récolté à chaque fois vingt-cinq mille dollars pour avoir été vainqueur.

– Le fait à souligner est que, à la suite des transactions qui y ont été effectuées, il y a maintenant trente-cinq mille dollars U.S. dans le compte de mon frère, ce qui correspond à plus de cinquante mille dollars canadiens. Ce fait, à lui seul, réduit en poussière la théorie selon laquelle il aurait été assassiné en raison d'une dette de drogue qu'il aurait été dans l'incapacité de rembourser.

– Je ne puis que vous donner raison. Évidemment, cela remet en question la décision que j'avais prise de mettre un terme à l'enquête. On ne peut affirmer avec certitude que les activités de votre frère que vous venez de découvrir ont un quelconque rapport avec son assassinat. N'empêche que, quand de telles sommes sont en jeu, cela peut paraître un motif suffisant aux yeux de certains pour tuer quelqu'un. De plus, le dernier message qu'il a reçu du maître de jeu parle d'une défaite qu'il a subie et d'une somme qu'il avait à payer. Et si cette somme était très élevée et qu'il était incapable de la payer ? C'est une éventualité à envisager. Je vais donc explorer cette nouvelle piste. Je suis certain que les policiers seraient également intéressés par ces nouvelles informations. Je doute que vous les ayez mis au courant de ce que vous venez de me communiquer, car ils auraient assurément conservé le livret de banque. Je vais donc faire des copies de tout ce que vous m'avez apporté avant de vous remettre les originaux pour que vous alliez les montrer à l'inspecteur Demers.

– Vous pouvez garder les textes de courrier électronique, j'en ai imprimé deux copies.

– Très bien. Je vous demanderai également de ne pas révéler à l'inspecteur Demers que je travaille moi aussi sur cette affaire et encore moins que vous m'avez informé avant lui de ces faits nouveaux.

– Ne craignez rien, je ne vous mettrai pas dans l'embarras.

– Avant de vous laisser repartir, puisque je m'y connais relativement peu en informatique, j'aimerais que vous m'aidiez à bien comprendre les nouvelles possibilités qu'ouvrent les informations que vous venez de me confier.

– Soyez assuré, monsieur Bastien, que, dans la mesure de mes connaissances, je ferai tout mon possible pour vous informer à ce sujet.

– D'abord, que saviez-vous du fait que votre frère participait à des duels de jeux électroniques à distance?

– Je savais très bien que Stefan s'adonnait régulièrement à des joutes qui l'opposaient, à distance, à d'autres cracks de ce type de jeux. Il se vantait régulièrement de ses prouesses. Par contre, j'ignorais tout de ce site Internet de « jeu ultime » et de son « maître de jeu ». Stefan ne m'en avait jamais parlé. Peut-être Steve Beaupré pourrait-il vous en apprendre plus à ce sujet.

– Je crois aussi qu'il serait indiqué que je retourne interroger l'ami de votre frère. On ne peut pas dire qu'il ait contribué à mon enquête de façon très enthousiaste jusqu'à maintenant, mais quand je suis gentil avec lui, il finit par accepter de coopérer. J'aurais une autre question à vous poser : est-il possible de trouver de qui ou de quel endroit proviennent ces courriels que votre frère a reçus ?

– Je ne sais pas s'il est possible de le découvrir. J'ignore, en tout cas, comment cela pourrait être fait, car le suffixe de l'adresse électronique de l'expéditeur est celui d'un de ces services de courrier électronique que des gens utilisent, entre autres, dans le but de conserver l'anonymat. Mon frère en savait beaucoup plus que moi dans le domaine de l'Internet, mais il ne peut malheureusement plus nous renseigner. Je suis persuadée que vous pourrez trouver quelqu'un de mieux qualifié que moi pour vous informer à ce sujet. Je suis désolée de ne pas pouvoir vous en apprendre plus.

– Dans ce cas, je crois que j'ai suffisamment accaparé de votre temps pour le moment. Je vous remercie pour vos informations et votre précieuse aide. Il ne me reste qu'à me lancer à nouveau en chasse. Je vous contacterai dès que j'aurai du nouveau.

– Très bien, monsieur Bastien. Je tiens à vous exprimer toute ma gratitude pour accepter de continuer à vous occuper de mon affaire malgré tout. J'espère que plus rien de fâcheux ne vous arrivera à cause de cette enquête.

– Ne vous en faites pas pour ça. J'ai la couenne dure et je vais m'arranger pour que ce genre de mésaventure ne se produise pas une autre fois.

Sylvia Varady partie, Francis passa un coup de fil à son ami policier. Il transmit à celui-ci l'adresse électronique du « maître de jeu » ainsi que celle de Stefan Varady. Il lui donna également les dates auxquelles des messages avaient été échangés entre ces deux adresses. Il lui lut ces messages où il était question de « jeux ultimes » et il lui demanda finalement s'il pouvait, à partir de ces informations, découvrir où le mystérieux « maître de jeu » se trouvait.

– Tiens, on dirait que tu te rallies finalement à mon avis et que tu as compris que la mort de Varady n'a rien à voir avec la consommation de drogues, commenta le policier.

– À mon grand regret, je dois humblement avouer que, à la lumière de ce que Sylvia Varady vient de m'apprendre, tu sembles avoir vu juste depuis le début.

Comme Francis s'y attendait, le policier l'assura qu'il ferait de son mieux pour lui trouver l'information dont il avait besoin, et ce, dans les meilleurs délais. En attendant que le sergent Landry le rappelle, Francis décida de travailler à la rédaction d'un rapport d'enquête concernant une affaire routinière qui s'était terminée quelques jours plus tôt. Il y avait plusieurs minutes qu'il était occupé à cette tâche lorsque le bruit sourd d'une déflagration se produisit. Cela semblait provenir d'une faible distance à en juger par la force du bruit. Le détective privé sortit immédiatement de son bureau et faillit entrer en collision avec Marie-Andrée qui se rendait elle aussi voir ce qui était arrivé.

– Que se passe-t-il ? demanda-t-elle.

– On dirait une puissante explosion, répondit son patron. Cela semble provenir de derrière l'immeuble.

Tous deux se dirigèrent rapidement vers la cour arrière utilisée comme stationnement par les locataires des quelques bureaux d'affaires occupant l'immeuble. Ils franchirent à grandes enjambées le corridor menant à la porte donnant sur l'arrière.

Arrivés dans le stationnement, Marie-Andrée et Francis constatèrent que quelques personnes s'y trouvaient déjà, attirées elles aussi par le bruit de la déflagration. Ils constatèrent surtout que la belle voiture sport de Francis, ou plutôt ce qui en restait, était en flammes. Tous deux en restèrent bouche bée. Francis eut l'impression qu'une silhouette pouvait être distinguée, à travers les flammes, derrière le volant. Une âcre odeur de chair brûlée vint lui confirmer cette impression. Il se dit qu'il n'y avait plus rien à faire pour l'occupant. Il ne pouvait qu'être déjà mort, compte tenu de l'état du véhicule et de la puissance des flammes.

Sirène hurlant, une première voiture de police ne tarda pas à se présenter sur les lieux. Elle fut bientôt suivie par une deuxième et une troisième. Les agents éloignèrent les curieux de la scène du drame.

Peu après, c'est un camion à incendies qui arrivait, annoncé lui aussi par sa sirène. Une fois à la tâche, les pompiers ne tardèrent pas à stopper l'incendie. Entre-temps, deux policiers, ayant sans doute été informés par un des curieux, que Francis était le propriétaire de l'automobile en flammes, étaient venus l'interroger. Celui-ci leur certifia qu'il n'avait autorisé personne à prendre son automobile et qu'il était bien certain d'en avoir verrouillé les portières. Il s'en assurait toujours plutôt deux fois qu'une après avoir stationné son véhicule, car il était conscient que ce type de voiture sport avait la cote auprès des voleurs. Peut-être était-ce justement un voleur qui avait réussi à forcer une portière et à faire démarrer l'automobile, supposèrent les policiers. Si tel était le cas, il semblerait que ce n'était pas son jour de chance puisque le véhicule avait, de toute évidence, été piégé peu avant. Il était également possible que ce soit le poseur de bombe qui, à cause d'une maladresse, ait été victime de son engin. Cela s'était déjà vu.

– Vous connaissez-vous des ennemis ? demanda alors un des policiers.

– Dans mon métier, on se fait obligatoirement des ennemis, répliqua Francis.

– J'ai recueilli suffisamment d'informations pour le moment. Je vais aller entrer mon rapport préliminaire sur l'ordinateur de bord de mon véhicule de patrouille. Restez ici s'il vous plaît, au cas où nous aurions d'autres questions à vous poser.

Le policier se rendit donc dans son véhicule, tandis que son confrère restait avec Francis. Une autre équipe d'urgence était arrivée sur les lieux et était affairée à extraire du véhicule la dépouille calcinée qui se trouvait toujours à bord. Quelques minutes plus tard, un autre véhicule de police arrivait en trombe, sirène lancée à fond, attirant l'attention de tous les gens présents.

Francis eut la surprise d'en voir descendre le sergent Landry. En claudiquant, celui-ci se dirigea immédiatement vers son ami et lui dit, une fois arrivé près de lui :

– Dis donc, tu m'as fait une de ces frousses! J'essayais de te joindre au téléphone et je n'obtenais pas de réponse. J'entends alors dire au poste qu'une automobile appartenant à un certain Francis Bastien a explosé et qu'il y avait un cadavre à bord. J'ai cru qu'on t'avait fait la peau et que c'était de ma faute.

– Le cadavre est celui du type qui m'en voulait ou celui d'un voleur d'autos, dit le privé.

– C'est ce que j'avais cru comprendre en consultant le rapport préliminaire. Dis donc, tu ne trouves pas que ton système antivol est un peu excessif? le taquina son ami. Tu n'aurais pas pu installer une alarme et un système anti-démarrage comme tout le monde?

– Tu sais à quel point je suis possessif en ce qui concerne ma voiture.

– Tu devrais plutôt dire « combien j'étais possessif » car, crois-moi mon vieux, ta voiture n'a plus de quoi provoquer l'envie dans l'état où elle se trouve. D'ailleurs, je t'avais prévenu : quand tu te promènes dans ce genre de véhicule, tu provoques la convoitise et, forcément, un jour on veut te le chiper.

– Tu as raison Mathusalem, je m'incline devant ta grande sagesse. Mais quelque chose me revient à l'esprit : dis-moi donc pourquoi tu as dit, il y a un moment, que tu croyais que ce qui vient d'arriver était de ta faute?

– Tu n'as pas lu les journaux ces derniers jours?

– Oui, mais rapidement. J'ai l'habitude de lire les principaux titres, mon horoscope, les bandes dessinées et de m'attarder à deux ou trois articles seulement : les choses vraiment importantes, quoi!

– Dans ce cas, tu ne sais pas qu'il y a eu une descente avant-hier au bar où le *pusher* qui t'a fait tabasser vend sa camelote.

– Que dis-tu? Tu as organisé une descente là-bas? Je t'avais pourtant bien averti de ne pas te mêler de ça! Leur plan n'a pas fonctionné, mais il est plus que probable que cette bombe était la réplique directe à la descente dont tu me parles.

– J'en suis parfaitement conscient. Ne t'en fais pas, je vais arranger ça.

– Non, surtout ne te mêle plus de cela s'il te plaît, répondit Francis en s'emportant un peu contre son ami. Je crois que tu en as assez fait comme ça. D'ailleurs, puisque l'enquête sur l'assassinat de Varady a pris une nouvelle tournure, je n'ai donc plus à m'intéresser à ceux qui fournissaient un peu de cocaïne au jeune informaticien. Si je ne les embête plus, il est fort probable qu'ils vont rapidement m'oublier.

– Ne compte pas trop là-dessus. Si ce sont vraiment les motards qui en ont après toi, je ne crois pas qu'ils lâcheront prise aussi rapidement. Quant à l'affaire Varady, j'ai du nouveau à te communiquer. L'adresse de courrier électronique de ton « maître de jeu », en est une obtenue auprès d'une entreprise offrant gratuitement aux internautes de l'espace-disque sur son serveur de courrier. Le courrier électronique destiné au client transite par leur serveur et à chaque message sont ajoutés une publicité invitant les correspondants à visiter le site du fournisseur de service Internet ainsi qu'un « hyperlien » menant directement à ce site. Ce type d'entreprise trouve son profit dans l'affaire tout simplement par la publicité qu'elle peut vendre à divers annonceurs grâce à l'achalandage qu'elle obtient ainsi sur son site web. L'abonné obtient, de son côté, tout à fait gratuitement, de l'espace-disque pour recevoir ses messages ainsi qu'un certain anonymat. Ton maître de jeu tient vraiment à ce qu'on ne remonte pas jusqu'à lui car, en plus d'expédier ainsi son courrier à partir d'une boîte postale virtuelle, il utilise pour l'acheminer, un logiciel permettant d'en cacher l'origine. De cette façon, les messages qu'il envoie transitent par trois serveurs intermédiaires déterminés au hasard. Chacun de ces serveurs ne connaît que l'adresse suivante par laquelle transitera le courrier électronique et en ignore l'origine ainsi que la destination finale. Aucun des serveurs, sauf le dernier, ne connaît le contenu du message.

– La conclusion à tirer de tout cela est qu'il est impossible de découvrir la tanière du maître de jeu, si je comprends bien.

– Je n'ai pas dit ça. Attends un peu, j'y arrive. Ceux à qui je me suis adressé pour le retracer sont des petits futés, et ils ont des moyens considérables à leur disposition. J'ai contacté, officieusement bien sûr, pour ne pas que cela vienne aux oreilles de l'inspecteur Demers, un copain à moi, qui appartient au détachement de la GRC ici à Québec. Il a, à son tour, communiqué tout aussi officieusement, avec un confrère en poste à Ottawa avec qui il est en excellents termes. Celui-ci a un ami au Service de sécurité des télécommunications qui, lui, a ses antennes du côté de l'Oncle Sam. Bref, figure-toi que ta demande de renseignements a finalement abouti, et cela toujours en sous-main, au bureau de la NSA[8] à Washington!

– Et qu'est-ce qu'ils ont découvert, ces petits génies-là, dis-moi?

– Ne me demande pas tous les détails, car je n'ai pas parfaitement saisi toutes les explications de mon contact, mais il semblerait qu'il leur a été possible de retracer toutes les étapes du plus récent message envoyé à Stefan Varady par son mystérieux correspondant. En partant de l'adresse électronique de Varady, il a été possible de remonter le long du trajet, de serveur en serveur, et de reconstituer le cheminement, le « routage » comme m'a dit mon contact, du message en question. En jouant ainsi au Petit Poucet virtuel, on est parvenu à une petite entreprise basée à Singapour.

– Est-ce que je t'ai déjà dit que tu es un génie? Enfin, pour un type de ton grand âge, je veux dire.

---

8. L'Agence de sécurité nationale (*National Security Agency*) est l'organisation responsable de la sécurité des communications militaires et gouvernementales aux États-Unis. Elle est également chargée de l'interception et du déchiffrement éventuel des communications à l'étranger.

– Laisse tomber les compliments, je n'ai pas encore terminé. L'adresse donnée par cette entreprise de Singapour à son fournisseur de services Internet est celle d'un de ces petits bureaux à frais partagés où l'ensemble des locataires utilisent les services d'une même secrétaire-réceptionniste. De plus, il semblerait que le nom de cette entreprise ne figure même pas au fichier d'enregistrement des entreprises de Singapour, d'après ce qu'on a pu apprendre auprès des autorités là-bas. En conclusion, on dirait qu'il y a anguille sous roche dans tout ça, ce qui voudrait dire, selon mon expérience de vieux flic, qu'il est fort possible que tu sois maintenant sur la bonne piste. On finira peut-être par faire un bon détective de toi, après tout.

– Et moi, mon expérience de détective privé me dit que mon enquête a de fortes chances de se terminer en queue de poisson puisque, non seulement les gens qui sont derrière le « jeu ultime » ont-ils pris beaucoup de précautions pour ne pas que l'on remonte jusqu'à eux, mais surtout, ils agissent à partir de l'étranger. Et pour en rajouter, il y a probablement une bande de motards qui veulent avoir ma peau, si j'en juge par le spectacle que j'ai devant les yeux et par ce que tu m'as dit il y a un moment. On peut dire que j'ai vraiment le chic pour me retrouver dans des culs-de-sac. Je vais finir par croire que tu as raison quand tu me dis que je suis un détective du dimanche. Nous devrions prendre tous les deux notre retraite, ne crois-tu pas ?

– Holà, pas de déprime s'il te plaît ! Tu sais très bien que je n'en crois pas un mot quand je te traite de tous les noms. Tu es un des rares Don Quichotte qui restent sur cette planète, alors pas moyen de se passer de tes services. Où s'adresseraient alors les veuves et les orphelins éplorés, dis-moi ? Pour ce qui est des motards qui semblent, en effet, en avoir après toi, je t'ai dit que je m'en occuperais et je vais le faire. Je vais d'abord m'assurer que le coup vient bien d'eux, et je t'assure que j'ai les moyens de le vérifier. Je ne t'ai pas tout dit ce que je sais à leur sujet et je ne le peux pas. Fais-moi confiance, je suis persuadé qu'il y a moyen de leur faire lâcher prise s'il s'avère que ce sont eux qui sont responsables de l'attentat. Et, dans ce cas, je vais le faire, ça ne tardera pas. Je te le jure.

– Bon d'accord, je veux bien te croire. Alors la vie continue... mais, pour le moment, j'ai besoin d'un petit remontant. Est-ce que tu m'accompagnes comme dans le bon vieux temps ?

– C'est ce que j'appelle une offre qu'on ne peut pas refuser.

Contrairement à ce qui s'était passé autrefois au cours de plusieurs mémorables virées, Francis et son ami, le sergent Landry, s'étaient contentés de boire seulement un verre ou deux. Le policier avait déclaré qu'il lui fallait absolument avoir les idées claires le lendemain matin. Il avait d'importantes démarches à mener afin d'en arriver à affranchir Francis de la menace qui, fort probablement, pesait encore sur lui. De son côté, le détective privé ayant une nouvelle piste à suivre, il allait sans doute être lui aussi très occupé au cours des jours à venir.

⁑

Descendant d'un taxi, Francis était arrivé frais et dispos à son cabinet ce matin-là. Aussitôt qu'il fut entré, Marie-Andrée lui lança un sonore :

– Bonjour patron, tu as l'air plutôt en forme ce matin.

– Oui, on peut dire que je vais assez bien pour un type qui a failli finir déchiqueté et grillé la veille.

– Finalement, tu avais sans doute raison de vouloir abandonner l'affaire Varady. Je n'aurais pas dû essayer de te convaincre de la poursuivre.

– Pas du tout, c'est toi qui avais raison. Cette enquête prend un tour inattendu et elle m'intrigue de plus en plus. Le problème maintenant est que je ne suis pas certain d'être en mesure de la poursuivre.

– C'est peut-être mieux ainsi, de cette façon je vais probablement pouvoir conserver mon emploi plus longtemps. Après tout, si on te transforme en bouillie ou en méchoui, moi je me retrouve au chômage.

– Je dois dire que je suis très touché par l'intérêt que tu portes à mon sort, dit Francis, sourire en coin, en se rendant dans son bureau.

– Pour me faire pardonner mon égoïsme, je t'ai préparé du café. Il est sur le réchaud, lui lança sa secrétaire en élevant la voix pour qu'il l'entende de l'autre pièce.

– Quelle surprise, je devrais me faire quasi agresser plus souvent. Je découvre une nouvelle Marie-Andrée, répondit Francis, en élevant également la voix.

– Je suis toujours la même. Comme je l'ai toujours dit, tu ne sais pas m'apprécier à ma juste valeur.

– Tu as sans doute raison. Mais c'est que je n'ai pas les moyens de te payer à ta juste valeur, figure-toi.

La sonnerie du téléphone interrompit leur conversation. C'était Sylvia Varady.

La cliente venait de découvrir, en lisant son journal, que Francis avait failli être victime d'un attentat la veille. Elle lui dit qu'elle était très inquiète pour lui et qu'elle craignait que ce qui venait de se passer soit encore en relation avec l'enquête qu'elle lui avait confiée. Mentant, il lui assura que non. Cette réponse parut la soulager car, dit-elle, elle désirait beaucoup connaître la vérité quant à la mort de son frère, mais elle ne voulait pas qu'il risque sa vie à cette fin. Si l'affaire présentait des risques trop élevés, elle ne souhaitait pas qu'il la poursuive. Il répondit de ne pas s'inquiéter pour lui.

Il en profita cependant pour lui apprendre que, puisque le mystérieux maître de jeu semblait avoir son repaire à Singapour, il lui apparaissait impossible de poursuivre l'enquête. Elle lui répondit qu'elle avait anticipé une telle éventualité et qu'elle avait réfléchi à la question.

– J'aimerais vous faire part de vive voix de mes conclusions, poursuivit-elle. Peut-être pourrions-nous aller manger ensemble ce midi. Je sais qu'il y a d'excellents restaurants sur Grande-Allée, près de vos bureaux. Je vous invite à l'un d'eux.

– J'accepte avec plaisir. Venez me rejoindre à mon cabinet et nous irons à pied. Cela vous évitera les problèmes de stationnement. Depuis hier, il y a justement un espace libre dans le parking qui se trouve ici derrière l'immeuble.

– Vous avez un sens de l'humour vraiment remarquable, commenta Sylvia Varady avant de raccrocher.

Quand Francis eut raccroché à son tour, il se dit qu'il serait sûrement agréable de dîner avec cette jeune femme à la fois jolie, intelligente et pleine d'esprit, d'après ce qu'il avait pu en juger. Mais avant de se rendre à ce rendez-vous, il avait quelqu'un d'autre à rencontrer. La veille au soir, il avait contacté Steve Beaupré et avait obtenu de le rencontrer une seconde fois. Le rendez-vous avait été fixé au milieu de l'avant-midi. Cette fois-ci, le jeune informaticien avait même accepté que Francis le rencontre directement à son bureau. Il devait donc s'y rendre sous peu et demanda à Marie-Andrée de lui appeler un taxi.

⁂

Comme lors de leur première rencontre, Francis avait été accueilli de façon plutôt inamicale par Steve Beaupré.

– Ah, c'est toi, avait dit celui-ci quand le privé avait pénétré dans son bureau après avoir frappé à la porte et s'être fait inviter à entrer.

Devant cet accueil plutôt froid, il n'attendit pas d'y être invité pour s'asseoir dans un des deux fauteuils faisant face à l'immense table de travail derrière laquelle trônait Beaupré. Il se dit que l'invitation ne serait sans doute jamais venue. Une fois confortablement assis, le visiteur examina le bureau spacieux dans lequel il se trouvait, tandis que son vis-à-vis continuait à travailler à son ordinateur comme il le faisait à son arrivée.

Francis commençait à comprendre pourquoi l'autre avait accepté de le recevoir à son bureau cette fois-ci : il désirait, de toute évidence, lui faire constater dans quel environnement luxueux de cadre supérieur il évoluait. Les larges fenêtres donnant sur deux façades, les peintures de prix, les meubles de goût, de même que les boiseries et la tapisserie de qualité, tout contribuait à intimider le visiteur qui pénétrait ici, à lui faire constater l'importance indubitable de l'occupant des lieux, occupant qui, d'ailleurs, continuait toujours à travailler en ignorant superbement le détective. Une fois son examen des lieux terminé, sans attendre d'y être invité, Francis se décida donc à prendre la parole :

– Il y a du nouveau dans l'affaire Varady.

– Oui ? fit l'autre d'un air peu attentif, le *pusher* a-t-il été arrêté ?

– Pas du tout, et il n'a selon moi aucune raison de l'être, du moins pas pour cette affaire.

Cette déclaration parut attirer l'attention de Beaupré, puisqu'il cessa alors de travailler, portant maintenant toute son attention sur son interlocuteur.

– Qu'est-ce qui te fait croire ça ?

– On m'a dit que Stefan Varady était exceptionnellement habile aux jeux électroniques. Quel est ton avis là-dessus ? demanda Francis, ignorant la question de Beaupré.

– Ouais, il était très bon, c'est vrai.

– Il paraît que tu l'es aussi.

– Je me défends. Mais où veux-tu en venir au juste ?

– Toi et Stefan deviez avoir de la difficulté à trouver des adversaires de votre calibre ?

– Nous jouions souvent l'un contre l'autre.

– Oui, mais cela devait devenir lassant à la longue.

Puisque cette dernière phrase n'était pas vraiment une question, et qu'il ne semblait pas avoir envie d'y ajouter quelque chose, Beaupré resta silencieux en fixant le privé du regard comme s'il attendait qu'il précise sa pensée. C'est d'ailleurs ce que Francis fit :

– Sur Internet, il est certainement possible d'avoir l'occasion d'affronter d'autres joueurs très doués.

– Oui, c'est possible.

– Et c'est ce que vous faisiez Stefan Varady et toi, déclara le détective privé sur un ton plus affirmatif qu'interrogatif.

– Cela nous est en effet arrivé. Mais je ne vois vraiment pas la raison d'un interrogatoire aussi futile. Je t'assure que j'ai vraiment des choses beaucoup plus importantes à faire...

Ignorant cette remarque, le détective continua :

– Et j'imagine, qu'histoire de mettre encore plus de piquant dans l'affaire, il est possible de parier, lors de ces joutes entre champions.

– Effectivement.

– Et c'est déjà arrivé ? Pour toi et Stefan, je veux dire.

– Oui, c'est déjà arrivé.

– C'est en effet ce que j'avais cru comprendre, commenta Francis, afin de laisser croire à son interlocuteur qu'il en savait beaucoup à ce sujet et qu'il ferait donc bien de ne pas lui mentir.

De fortes sommes ?

Beaupré eut une brève hésitation avant de répondre :

– Des sommes généralement plutôt faibles.

– Évidemment, qualifier un certain montant d'argent de faible ou de forte somme a quelque chose de très relatif. Par exemple, la majorité des personnes diront certainement que vingt mille dollars est une forte somme, à plus forte raison s'il s'agit de devises américaines. Par contre, il y a certainement des gens pour qui c'est une somme d'argent relativement petite. Cela dépend, bien sûr, des ressources que l'on a. Et les tiennes sont très élevées, comme tu m'en as déjà fait la remarque, commenta Francis.

– Qu'est-ce que c'est que ce discours ? Je ne vois pas du tout où tu veux en venir.

– Je veux en venir au fait que la somme de vingt mille dollars américains serait selon moi qualifiée par la majorité des gens de forte somme, en tout cas si on l'applique à un pari lié à un duel de jeu électronique.

– Je n'ai jamais parié une telle somme à quelque jeu que ce soit, électronique ou non.

– Et Stefan ?

– Stefan ne me disait pas tout.

– J'ai peine à croire qu'il aurait livré un duel de jeu électronique avec un tel enjeu sans t'en parler. Il paraît que lui et toi vous vous encouragiez et vous taquiniez mutuellement beaucoup au sujet de vos performances à ce type de compétition.

– C'est sa garce de sœur qui t'a dit ça ?

– Tu n'aimes pas beaucoup sa sœur, on dirait ? Pour quelle raison ?

– Elle ne cessait pas de surveiller Stefan.

– Ce n'est pas ce qu'elle prétend. Et ce n'est pas ce qu'il m'a semblé.

– Elle cache bien son jeu, c'est tout.

– C'est possible, mais il me semble que cela est contredit par le fait que c'est justement Sylvia Varady qui vient de découvrir, sur l'ordinateur de son frère, la présence de courriels relatifs à la participation de celui-ci à des duels de jeux électroniques sur Internet et ayant pour mises des sommes importantes.

– Et puis ? Ça peut très bien se modifier, ou même se créer de toutes pièces, des fichiers de ce type-là.

– Quel intérêt aurait-elle à le faire ?

– Est-ce que je sais moi ? Puisque tu sembles être maintenant persuadé que l'assassinat de Stefan n'a rien à voir avec la drogue, peut-être que Sylvia Varady aurait, elle, quelque chose à y voir et qu'elle désire écarter les soupçons. N'oublie pas qu'elle est son unique héritière et qu'elle touchera, entre autres, une jolie somme en assurance-vie, à ce qu'on m'a dit.

– Si elle était responsable de l'assassinat de son frère, pourquoi aurait-elle pris la peine d'engager un détective privé pour faire la lumière dans cette affaire ? Cela ne tient pas debout, surtout si on considère que l'inspecteur de police chargé de l'enquête était tout disposé à expédier l'affaire. Si elle était coupable, elle aurait donc eu tout intérêt à ne pas intervenir puisqu'elle ne risquait vraisemblablement pas du tout d'être inquiétée.

– Je ne sais pas quelles auraient pu être ses motivations. Elle est très intelligente cette femme-là, tu sais. D'ailleurs, je ne prétends pas qu'elle soit coupable. Je pose tout simplement la question.

– Tu ne l'accuses pas, mais tu insinues qu'elle a inventé les messages qu'elle m'a montrés, ainsi qu'à la police.

– Je disais seulement que de tels fichiers peuvent être fabriqués, pas qu'elle l'a fait. Il y a une nuance.

– Bien sûr, je la saisis très bien. Par contre, les messages électroniques peuvent également très bien être authentiques. Il est donc possible que Stefan Varady ait bien participé sur Internet aux duels électroniques à enjeu élevé dont je parlais tout à l'heure.

– Certainement que c'est possible, répondit Steve Beaupré sur un ton impatient. Tout, ou presque, est possible. Il est possible qu'un tremblement de terre de haute intensité survienne dans deux minutes et nous engloutisse tous les deux. Mais cela est très peu probable.

De toute évidence, la tournure que prenait la conversation commençait à fort lui déplaire.

– Stefan ne t'a jamais parlé de telles joutes ?

– Peut-être qu'il m'en a parlé, après tout. Je ne me rappelle pas de tout ce dont nous avons discuté. Mais pourquoi me poser tant de questions à ce sujet ? Quel rapport cela peut-il avoir avec la mort de Stefan ?

– Je ne peux pas affirmer qu'il y ait vraiment un rapport. Cependant, lorsque des sommes aussi élevées que celles que Stefan semblait miser sont en jeu, un motif de meurtre peut très bien apparaître. Par exemple, un mauvais perdant pourrait fort bien en vouloir à celui qui l'a vaincu.

– En tout cas, je ne peux pas t'aider à ce sujet pour la bonne raison que je ne sais rien de tout ça. Je vais quand même tenter de m'informer là-dessus et si, j'apprends quelque chose qui me semble intéressant, je te le communiquerai sans faute. Est-ce que ça te va ?

Sans prendre la peine d'attendre la réponse, Beaupré continuait :

– Et maintenant, si tu veux bien m'excuser, j'ai du travail qui m'attend.

– Merci pour ta précieuse collaboration. Ton ami aurait certainement apprécié que tu mettes autant d'énergie à aider à faire la lumière sur son assassinat, fit sarcastiquement le détective privé avant de quitter le luxueux bureau.

Chapitre 5
Un autre maître de jeu

– Oui Robert, le feu d'artifice auquel tu t'intéresses a bel et bien été organisé par ceux que tu soupçonnes. Ils n'ont pas du tout apprécié la petite visite rendue à un de leurs bars par tes confrères à cause de ce qui est arrivé à ton ami détective privé. Et ils se sont dit qu'il n'y avait pas de raison d'appliquer à un privé l'immunité qui est généralement accordée dans le milieu aux policiers afin de ne pas s'attirer de lourdes et coûteuses représailles.

L'homme qui parlait ainsi se trouvait dans une cabine téléphonique située en bordure d'une rue commerciale. Il avait stationné son véhicule à proximité de la cabine et surveillait constamment les environs en parlant avec le sergent Landry. La veille, celui-ci lui avait laissé dans sa boîte vocale un message convenu demandant de communiquer rapidement avec lui. En habitué qu'il était, l'homme connaissait bien les procédures de sécurité à suivre afin de prendre contact avec le policier.

– Très bien, répondit Robert Landry, c'est tout ce que je voulais savoir et il était urgent que je le sache. Merci de m'avoir obtenu l'information rapidement comme je te l'avais demandé. Je vais maintenant devoir m'arranger pour détourner leur attention. Reste prudent et n'hésite pas à me contacter au besoin.

⁑

Assis derrière le volant de son automobile, dont il avait coupé le moteur, le sergent Landry attendait celui qui devait venir le rencontrer. Le policier se trouvait dans un stationnement peu fréquenté situé à proximité d'une piste cyclable en banlieue est de la ville. Il n'eut pas longtemps à attendre avant qu'une luxueuse et imposante camionnette sport de modèle récent arrive à son tour. Le conducteur de la camionnette vint la ranger juste à côté de la voiture du policier. Après de brèves salutations, le sergent Landry aborda immédiatement la question pour laquelle il avait demandé à son interlocuteur de venir le retrouver à cet endroit discret.

– J'ai un ami qui a de sérieux problèmes avec un groupe de motards et il est urgent de détourner leur attention. Je sais que tu n'as pas froid aux yeux. C'est pourquoi j'ai pensé à toi…

Francis et Sylvia étaient attablés à une terrasse en façade d'un des nombreux restaurants de Grande-Allée, dans la portion de cette artère qui est sans doute la plus pittoresque – et la plus fréquentée par les piétons. Pendant la marche de quelques minutes qui les avait conduits sur place, ils avaient parlé de la pluie et du beau temps, réservant les sujets plus sérieux pour le moment où ils seraient assis devant un bon repas. Le printemps était maintenant suffisamment avancé pour que les restaurateurs aient ouvert leurs terrasses.

– Il y a fort longtemps que je n'ai pas dîné en aussi charmante compagnie, déclara galamment Francis peu après qu'ils fussent assis.

– Ah bon, il n'y a donc pas de femme dans votre vie? Pourtant, j'aurais juré que vous étiez marié. C'est l'impression que vous me donnez.

– Vous n'avez pas tout à fait tort. Je l'ai été, mais ça a mal tourné. Et je suis maintenant non pas un célibataire endurci, mais plutôt un divorcé endurci. Je tiens à ne plus revivre le genre de guerre d'usure qui a mené à notre séparation. Mais je ne veux pas élaborer sur le sujet, c'est maintenant chose du passé. Quant à vous, j'imagine qu'il n'y a pas d'homme qui partage votre vie, puisque vous cohabitiez avec votre frère. C'est quand même incroyable qu'une si jolie femme...

– Comme vous, j'ai de vieilles blessures à soigner, l'interrompit Sylvia. J'ai vécu seule pendant un certain temps et j'ai accepté de cohabiter avec mon frère quand il me l'a proposé. Par la force des choses, je loge donc à nouveau seule. Et, pour être bien franche, moi non plus, je ne désire pas m'étendre sur le sujet douloureux que représentent pour moi mes déceptions amoureuses. Si nous parlions plutôt de notre enquête?

Francis répéta à sa cliente qu'il aurait bien aimé pouvoir approfondir l'affaire, mais que cela lui apparaissait maintenant pratiquement impossible à cause de la dimension internationale qu'elle prenait. Le seul pays étranger où il avait jamais eu l'occasion d'enquêter était les États-Unis. Et c'était à chaque fois en de brèves circonstances, pour des affaires entamées et en grande partie menées au Canada. Il ne jouissait donc d'aucun contact ni à Singapour, ni ailleurs en Asie. De plus, poursuivre une enquête dans cette région du monde impliquerait certainement des frais très elevés. Donc, il en était desolé, mais il semblait devoir renoncer à continuer. De toute façon, l'inspecteur Demers était au courant des faits nouveaux, et communiquerait fort probablement avec Interpol et la police de Singapour. Francis croyait donc que l'affaire avait maintenant de bonnes chances d'être résolue sans son intervention.

– Je vous ai déjà dit avoir la conviction que l'inspecteur Demers n'éluciderait jamais cette affaire, et je n'ai pas changé d'avis là-dessus, répondit Sylvia.

– L'affaire ne sera plus que très partiellement de son ressort lorsque Interpol et la police de Singapour entreront dans le décor.

– Un petit informaticien inconnu qui se fait assassiner à l'autre bout du monde. Pour ces gens-là, ce sera une affaire sans grande importance. Par conséquent, je doute fort qu'ils investissent beaucoup d'énergie et de ressources afin de l'élucider.

– Vous avez peut-être raison, mais je ne vois pas d'autre alternative que d'espérer qu'ils découvrent la vérité malgré tout.

– Comme je vous l'ai dit au téléphone ce matin, j'ai bien réfléchi à cette question et j'ai pensé à une autre possibilité : peut-être accepteriez-vous de poursuivre vous-même l'enquête à l'étranger ?

– Voyons, c'est insensé. Moi aussi je vous l'ai déjà dit : je n'ai ni les compétences, ni les contacts, ni les ressources pour cela.

– En ce qui concerne les compétences nécessaires pour mener à son terme avec succès une telle enquête, moi je crois, contrairement à vos dires, que vous en avez plus qu'il n'en faut. Je vous fais entièrement confiance à ce chapitre. Quant aux frais qu'il y aura à encourir, j'ai pensé mettre à votre disposition les trente-cinq mille dollars en devises des États-Unis que Stefan possédait. Je suis la seule héritière de mon frère et je toucherai cette somme d'ici peu. Je vais donc pouvoir ouvrir un compte auquel vous aurez accès et y verser l'argent. Après tout, pourquoi ne pas utiliser l'argent de mon frère afin de démasquer son ou ses assassins ?

– Je suis désolé, croyez-moi, mais je ne peux accepter votre proposition.

– Je vous demande d'y réfléchir un peu avant de me donner votre réponse définitive. Vous savez, j'aimerais tant connaître un jour la vérité.

⁑

L'homme avançait sur le trottoir avec la démarche hésitante généralement provoquée par l'ivresse. Il ne payait pas de mine avec ses vêtements dépareillés et peu seyants. Il n'attirait cependant pas l'attention outre mesure dans ce quartier défavorisé. Il portait à la main un sac de papier kraft qu'il manipulait avec beaucoup de précautions. Un passant qui s'en serait rendu compte aurait été persuadé que le sac contenait une bouteille de bière ou d'un autre breuvage alcoolisé. Le clochard ivre jeta un bref coup d'œil pardessus son épaule gauche en direction de deux hommes à l'allure patibulaire qui se trouvaient à quelques pas derrière lui.

Les deux hommes discutaient sur le trottoir, au coin de la rue. Ils étaient devant une porte, située en coin, donnant sur le rez-de-chaussée de l'édifice à côté duquel le clochard se trouvait. Le bref coup d'œil de celui-ci lui avait révélé que les deux hommes ne semblaient toujours pas lui accorder la moindre attention. Rien d'étonnant à cela : les types de son espèce, on a plutôt tendance à les ignorer. On a souvent l'impression que les gens peuvent regarder à travers eux, qu'ils sont pratiquement transparents.

L'homme s'arrêta alors et posa son sac par terre en l'appuyant contre le mur de l'immeuble adossé au trottoir. Ce faisant, il perdit momentanément l'équilibre et fut bien près de tomber sur le sol de tout son long. Il semblait décidément très ivre. Réussissant finalement, contre toute attente, à reprendre son équilibre, il s'avança très près de l'immeuble, baissa sa braguette et, sans la moindre gêne, urina contre le mur. Soulagé, il remonta sa braguette et faillit encore une fois s'étaler au sol avant de repartir dans la même direction qu'avant sa pause. Il avait cependant oublié de reprendre son sac de papier. Il jeta à nouveau un bref regard derrière son épaule en portant la main à son ventre comme s'il avait ressenti de la douleur à cet endroit. Les deux types continuaient leur conversation et ne s'intéressaient pas plus à lui maintenant que quelques instants plus tôt.

Le clochard continua son chemin jusqu'à une rue voisine où, le soir, les passants étaient très rares puisque le quartier était reconnu pour assez mal famé. Il s'arrêta à proximité d'une luxueuse camionnette sport. Regardant de part et d'autre, il ne vit personne dans la rue et personne aux fenêtres, la plupart rendues aveugles par des stores. Sa posture et sa démarche devinrent soudainement beaucoup plus assurées alors qu'il se dirigeait en hâte vers la portière de la camionnette. Après y être monté, il prit le revolver qui était passé à sa ceinture et le plaça sous la banquette. C'est la crosse de cette arme qu'il avait saisie lorsque, un peu plus tôt, il avait feint une douleur abdominale quand il avait vérifié si les deux vigiles avaient pris conscience de son manège. Il démarra sans plus attendre et s'éloigna immédiatement.

⁑

Francis était d'humeur exceptionnellement bonne ce matin-là. C'est du moins ce que se dit Marie-Andrée lorsqu'elle le vit entrer au bureau en sifflotant. Chose rarissime, il était en retard.

Cela ne semblait même pas le préoccuper. Pour mettre à l'épreuve cette bonne humeur, dès qu'il eut refermé la porte d'entrée, elle lui lança :

– Salut patron.

Elle fut surprise de constater qu'il ne grogna pas de s'entendre ainsi appeler. Au contraire, il lui répondit en souriant :

– Bonjour Marie-Andrée, comment ça va ce matin?

Elle en fut abasourdie. Francis se dirigeait déjà vers son cabinet de travail en continuant à siffloter quand elle fut suffisamment remise de sa surprise pour dire :

– Mon Dieu Frank, est-ce que c'est ton dîner avec Sylvia Varady qui t'a mis dans cet état?

– De quel état parles-tu?

– Laisse tomber, s'avoua-t-elle vaincue, avant de changer de sujet. Quand je suis arrivée, il y avait déjà trois messages pour toi dans la boîte vocale. On peut dire que tu es vraiment très en demande ce matin.

– Serait-on envieuse, par hasard? Et auprès de qui suis-je si populaire, s'il te plaît? répondit Francis, en s'immobilisant.

– Le premier message est d'un certain Steve Beaupré qui dit avoir mis la main sur des informations qui pourraient t'intéresser. Il demande de lui téléphoner aujourd'hui à son bureau.

– Des informations qui pourraient m'intéresser ? Je croyais pourtant ce type du genre à ne jamais éprouver de doutes. Enfin, passons… Et les autres messages ?

– Le sergent Landry te suggère de jeter un coup d'œil à la première page du journal de ce matin. Il y a là, selon lui, quelque chose qui va vivement t'interpeler. Il te demande également d'aller le rejoindre demain à l'arboretum municipal à treize heures. En ce qui concerne la page couverture du journal, puisque je devine ta prochaine question, il n'y en a que pour l'attentat à la bombe d'hier soir dont la cible a été un repaire d'un club de motards. Dis-moi, j'espère que cela ne veut pas dire qu'on pourrait encore s'en prendre à toi de cette façon ?

– Pas du tout, si j'osais m'avancer, je dirais même plutôt croire que ça signifie tout à fait le contraire. Et le troisième message ?

– J'avais gardé le dessert pour la fin, commenta Marie-Andrée en faisant un clin d'œil. Sylvia Varady te suggère également de regarder dans ton journal. Décidément, ils se sont donné le mot ce matin. Quoi qu'il en soit, c'est la page trois et non la couverture qui a attiré l'attention de ta cliente.

Francis remercia sa secrétaire, prit le journal qui se trouvait sur le coin de son bureau et partit en direction de son antre. Une fois terminés ses rites habituels de début de journée, il s'installa à sa table de travail, un café posé devant lui, et prit alors le journal dans lequel tout le monde semblait avoir une lecture à lui suggérer.

En page couverture, il était en effet question d'un attentat à la bombe sur un immeuble appartenant au groupe de motards qui avait détruit sa belle automobile. Personne n'avait rien remarqué de suspect dans les environs, ni avant, ni après l'explosion.

« Fort heureusement, il n'y a pas de victimes à déplorer », déclarait le journaliste dans son reportage. Puisque c'était la deuxième bombe à exploser dans la « Vieille Capitale » en autant de jours, il se demandait, par ailleurs, si un nouvel épisode de la guerre opposant les deux principaux groupes de motards installés dans la région ne venait pas de débuter. Il rappelait que, quelques mois plus tôt, s'était terminé, ou à tout le moins interrompu, un long affrontement sanglant entre les deux bandes rivales qui désiraient toutes deux s'emparer du contrôle du commerce de la drogue dans la région. De nombreux attentats à la bombe avaient alors fait plusieurs victimes, dont certaines n'avaient rien à voir avec la guerre que se livraient les motards. Même un jeune garçon d'une dizaine d'années avait péri pour s'être trouvé au mauvais endroit au mauvais moment, c'est-à-dire près du véhicule d'un membre influent d'une des bandes lorsqu'une bombe y avait explosé. C'est ce tragique événement qui avait indigné et ameuté la population et qui, par voie de conséquence, avait provoqué une répression policière soutenue ayant mené à une trêve entre les deux groupes.

Pour l'instant, toujours selon le journaliste, on ne pouvait relier le détective privé vraisemblablement visé par l'attentat de l'avant-veille, à aucune des deux bandes de motards. « Que veut-il insinuer par là », se dit Francis. Par contre, pour ce qui était de l'immeuble qui venait d'être sérieusement endommagé par la plus récente bombe, les policiers étaient formels pour en attribuer la propriété à un prête-nom associé à un des groupes de motards. En guise de conclusion, le reporter déclarait qu'il était indispensable que les autorités agissent rapidement afin de mettre un terme à ces actes de violence inadmissibles. La population ne devait pas être, pendant des mois, voire des années, laissée à la merci d'organisations criminelles comme cela s'était déjà produit par le passé.

Eh bien, se dit Francis, une fois sa lecture terminée, j'ai peine à croire que Robert soit allé jusque-là. Faire relancer la guerre des motards pour tenir mes agresseurs occupés ailleurs. En tout cas, j'espère que ça n'ira pas trop loin toute cette histoire...

Il se rendit ensuite voir à la page trois. Il la parcourut rapidement, lisant seulement les titres, afin de tenter de repérer lequel des articles pouvait bien avoir attiré l'attention de Sylvia Varady. De toute évidence, c'était un entrefilet placé en bas de page. Si sa cliente ne l'avait pas prévenu d'y porter attention, il serait certainement passé par-dessus sans même le voir.

C'était un texte provenant d'une agence de presse internationale. Le titre disait : « Informaticien : métier dangereux ? » Dans le corps de l'article, on apprenait ensuite, qu'apparemment sans raison, un jeune informaticien venait d'être assassiné à San Jose, en Californie, et que c'était le troisième à subir ce sort dans la Silicon Valley au cours des quatre derniers mois. On y disait qu'aucun de ces meurtres n'avait été élucidé et que la police se perdait en conjectures.

En effet, Sylvia a eu raison de m'indiquer cet article, il est fort intéressant, réfléchit Francis après avoir terminé sa lecture. Et si...

Il se leva immédiatement et se rendit auprès de sa secrétaire. Il lui demanda :

– Dis-moi Marie-Andrée, voudrais-tu contacter cette agence qui s'est déjà occupée pour nous de faire de la recherche dans les médias écrits ? J'aimerais qu'ils vérifient s'ils ne trouveraient pas des articles où il serait question d'assassinats ou de morts mystérieuses d'informaticiens où que ce soit dans le monde.

– Je leur téléphone sans tarder, patron.

– Cesse donc de m'appeler patron, je te l'ai dit mille fois. Et ne m'appelle pas Frank non plus. Mon nom est Francis.

– Oui, patron. C'est toi le patron, patron, le taquina Marie-Andrée.

Abandonnant la partie, le détective privé retourna dans son cabinet de travail en secouant la tête d'impuissance.

⁂

Quand Francis téléphona à Steve Beaupré, celui-ci semblait avoir complètement changé d'attitude à son endroit. En effet, il se prétendit content de lui parler et déclara que les paroles prononcées par le détective privé lors de leur dernière rencontre l'avaient fait réfléchir. Cette réflexion l'avait amené à se dire qu'en effet, comme Francis l'avait laissé entendre, il avait peu fait jusque-là pour aider à élucider le meurtre de son ami. Et il désirait maintenant remédier à cela, dans la mesure du possible évidemment.

Ainsi, il avouait que, contrairement à ce qu'il avait prétendu la veille, il était bel et bien au courant que Stefan livrait des duels virtuels sur Internet où des sommes importantes étaient pariées. S'il avait auparavant refusé de l'admettre, c'est que Stefan lui avait demandé avec insistance de ne jamais révéler cela à quiconque. Mais, puisque son ami n'était plus là et qu'il souhaitait que son assassinat ne demeure pas impuni, il s'était finalement décidé à rompre son engagement. Alors, oui, il connaissait un site Internet par l'intermédiaire duquel on pouvait livrer combat à un adversaire pouvant aussi bien se trouver dans la rue voisine qu'à l'autre bout du monde. Bien sûr, les chances qu'il habite dans la rue voisine étaient énormément plus minces que celles qu'il vive dans un pays étranger. Quoi qu'il en soit, c'est une façon, disait Beaupré, pour les surdoués des jeux électroniques, de pouvoir affronter des adversaires à leur mesure. Et ils sont prêts à payer très cher pour cela, lorsqu'ils en ont les moyens.

Les gens qui ont créé le site appelé « Jeu ultime » l'ont compris. Ils offrent donc aux cracks des jeux électroniques la possibilité de parier de fortes sommes sur leur habileté à affronter des adversaires de valeur. Bien sûr, ils prennent au passage une jolie commission, mais personne ne trouve rien à y redire. Pour les concurrents, la victoire sur un adversaire de très haut calibre est, en elle-même, beaucoup plus importante que le pari, affirmait Beaupré. Le défi à relever est pour eux source de sensations fortes, tout comme l'est l'escalade en haute montagne pour les alpinistes ou les sauts de *bungee* pour les casse-cou.

Comme il n'est pas certain que les jeux ultimes respectent les règlements et lois de tous les pays où résident des joueurs, on ne désire pas attirer l'attention des diverses autorités sur ces combats virtuels. Il est donc convenu entre tous les duellistes d'une abolue discrétion sur ces activités. C'était notamment pour cette raison que Stefan Varady avait exigé de Beaupré qu'il garde le silence à ce sujet. Il ne voulait également pas que l'on sache qu'il pariait de fortes sommes.

Cependant, les circonstances avaient changé et Beaupré était dorénavant disposé à confier à Francis toutes les informations qu'il détenait au sujet du jeu ultime, même s'il était persuadé que cela n'avait aucun rapport avec la mort de son ami. En contribuant à débarrasser le détective privé des présomptions qu'il semblait avoir en ce sens, Beaupré croyait que l'enquête pourrait par la suite être réorientée dans une autre direction qui mènerait, cette fois-ci, à l'assassin ou aux assassins de Stefan.

Voilà donc les nouvelles dispositions dans lesquelles se trouvait Steve Beaupré. Au cours de sa carrière, Francis avait souvent vu des témoins changer soudainement d'attitude; cependant, cette fois-ci, il en était vraiment très surpris. Si Beaupré était maintenant disposé à collaborer sans réserve, alors tant mieux. Le jeune informaticien avait même proposé de lui faire une démonstration de ce qu'est un duel de jeu ultime. Il se présenterait donc, dès ce jour-là, immédiatement après son travail, au cabinet de Francis et utiliserait à cette fin l'ordinateur dans le bureau du détective privé.

⁂

Marie-Andrée avait quitté le bureau depuis plus d'une heure lorsque Steve Beaupré se présenta. Sans perdre de temps, il brancha à l'ordinateur de Francis une manette de jeu qu'il avait apportée avec lui, s'installa aux commandes de l'ordinateur et se connecta à Internet. Quand ce fut fait, il tapa l'adresse du site « *Ultimate Game* ». Ce faisant, il apprit à Francis qu'avant qu'un nouveau candidat soit admis à livrer des combats avec enjeux, il devait d'abord faire ses preuves. Les duellistes étaient prêts à payer cher afin de pouvoir affronter des adversaires de valeur, pas des adversaires plutôt moyens. Les gestionnaires du site « Jeu ultime » devaient donc s'assurer de la qualité des candidats avant de les admettre à disputer des duels plus sérieux.

Steve Beaupré s'inscrivit donc au nom de Francis comme nouveau candidat. À mesure qu'il remplissait, à cet effet, le formulaire « en ligne » affiché à l'écran, il demandait au détective privé de lui communiquer les renseignements requis. Francis collaborait de bonne grâce. Une fois cette formalité complétée, Beaupré commença à livrer un combat, toujours au nom de Francis, contre un autre aspirant duelliste. Un message apparu à l'écran avait indiqué que le type de combat avait été sélectionné au hasard par le système.

Le jeu sélectionné faisait évoluer les deux adversaires dans un environnement de château médiéval en trois dimensions. Il s'agissait de circuler, chacun de son côté, dans un dédale de corridors et de salles en enfilade, et ce, tout en échappant aux multiples pièges dissimulés tout le long du parcours. À tout moment, on pouvait tomber dans une oubliette par une trappe s'ouvrant soudainement dans le plancher, devoir livrer combat à un chevalier en armes arrivant de n'importe quelle direction, affronter un fantôme, un gnome maléfique ou un animal mythique surgi de nulle part. On pouvait également être l'objet d'un mauvais sort lancé par une sorcière issue d'un passage secret ou être victime d'une longue série d'avatars possibles.

Pendant la progression dans le château, on pouvait, à certains endroits, découvrir des cachettes d'armes, des potions magiques rendant temporairement invincible ou des amulettes protégeant contre certains ennemis ou dangers particuliers. À d'autres étapes, en élucidant des énigmes, on pouvait bénéficier de formules magiques propres à mettre en échec les manœuvres des mauvais génies de diverses natures. Parfois, en réussissant une épreuve, on pouvait obtenir que l'adversaire soit privé d'une arme ou d'un moyen de défense acquis auparavant. Le but poursuivi était de parvenir à la salle merveilleuse où se trouvait le Saint-Graal, ce vase sacré dans lequel le Christ aurait bu et qui permettrait à celui qui y trempe les lèvres de vivre éternellement.

Le vainqueur était le premier arrivé à cette salle. À tout moment, une fenêtre dans le coin supérieur droit de l'écran affichait des bandes témoins indiquant la progression relative des deux adversaires. Bien sûr, il était fort possible qu'aucun des deux « chevaliers » en lice ne soit vainqueur puisque tous deux pouvaient très bien succomber pendant le parcours vers le Graal.

À voir manœuvrer Beaupré, solidement agrippé à sa manette de jeu, Francis se disait que s'il ne sortait pas vainqueur de l'affrontement, ce ne serait certainement pas faute d'y avoir mis tous les efforts. En effet, le jeune informaticien suait à grosses gouttes et semblait accorder une importance extrême à la partie. Francis tenta à deux ou trois reprises d'obtenir des précisions sur les règles du jeu ainsi que sur l'évolution de la partie, mais ses questions restèrent sans réponses. Beaupré ne semblait pas l'entendre, tellement il était absorbé par le duel virtuel qu'il était en train de livrer à un adversaire dont il ignorait tout.

Ses efforts furent finalement récompensés. Mais son adversaire avait été coriace puisque l'indicateur de progression montrait qu'il était parvenu très près de la salle du Graal et qu'il avait donc lui aussi réussi à échapper à tous les pièges tendus sur son chemin.

La victoire obtenue, Beaupré sembla alors souffler. Il commenta à Francis la quête qu'il venait de poursuivre et les embûches qui s'étaient dressées en chemin. Cette fois-ci, le détective privé put obtenir les éclaircissements qu'il demanda au jeune crack de jeux électroniques. Après quelques minutes de récupération, celui-ci proposa même de livrer un nouveau duel. Pour cela, il se mit à nouveau en communication avec le site du « Jeu ultime » et demanda une nouvelle partie.

Cette fois-ci, il n'eut pas à remplir de formulaire virtuel d'ins cription puisque, lors du premier accès au site, un code d'identification et un mot de passe confidentiels étaient choisis par chaque concurrent, ce qui permettait par la suite de l'identifier. C'était donc Francis qui serait à nouveau réputé livrer un duel virtuel. Le type de jeu sélectionné au hasard fut tout à fait différent du premier. Il était maintenant question, tour à tour, de combat aérien entre deux pilotes aux commandes de chasseurs supersoniques, de combat naval mettant aux prises des capitaines de sous-marins nucléaires, de combat de chars d'assaut hérissés d'armes et de divers autres types de duels virtuels. Les adversaires en présence accumulaient des points tout au long des divers affrontements et la victoire allait tout simplement à celui qui en avait accumulé le plus tout au long de la partie.

Comme précédemment, Beaupré parut très tendu pendant qu'il livrait combat. Finalement, il sortit également vainqueur de ce duel-là. Aux yeux de Francis, le combat avait paru sensiblement plus facile au jeune informaticien cette fois-ci. Peut-être son second adversaire était-il moins doué que celui qu'il avait affronté plus tôt. Ou, c'était peut-être tout simplement que Beaupré était plus habile à ce type de jeu, très différent du précédent.

De toute façon, cela n'avait guère d'importance et Francis avait très bien compris maintenant comment pouvaient se dérouler ces jeux dits ultimes. D'ailleurs, Beaupré semblait complètement vidé à la suite des deux parties qu'il avait coup sur coup remportées en y mettant tant d'énergie. Il ne tarda donc pas à s'en aller.

Chapitre 6
Guerre de gangs

Ce n'était pas du tout le genre de véhicule à attirer l'attention. Il s'agissait d'un modèle commun âgé de trois ou quatre ans. La couleur en était neutre et aucun accessoire extérieur n'avait été ajouté pour en améliorer l'aspect. En cette fin de soirée, il roulait lentement dans les rues étroites et peu fréquentées d'un quartier de la basse ville. Il dut s'immobiliser à l'intersection d'une artère plus importante pour attendre que le feu de circulation passe au vert.

À peine une dizaine de mètres plus loin, l'auto se rangea le long du trottoir. Le conducteur en sortit, jeta un bref regard à l'immeuble devant lequel il avait stationné et s'en alla à pied en direction de l'artère large et bien éclairée qu'il venait de traverser. Il ne rencontra personne et y arriva en peu de temps. Il s'arrêta alors un instant pour allumer une cigarette. Sur le trottoir, il poursuivit ensuite d'un pas décidé en direction de la haute ville. Il avait à peine franchi quelques dizaines de mètres qu'une automobile aussi banale que celle qu'il venait de laisser derrière lui, s'arrêtait à sa hauteur pour le laisser monter. Personne n'aurait pu se douter que ce véhicule avait été volé un peu plus tôt dans la journée, tout comme l'autre automobile abandonnée à peu de distance, d'ailleurs. L'homme à la cigarette était quelqu'un de très prudent : il ne devait y avoir aucun moyen de remonter jusqu'à lui.

⁂

Le journal du lendemain matin titrait : « Attentat à la voiture piégée. La guerre des motards reprend. » Le reportage qui suivait était signé par un journaliste renommé et était accompagné d'une photo en couleurs. Il occupait la majeure partie de la une et se poursuivait en seconde page. Il débutait ainsi :

> Un troisième attentat à la bombe en trois jours est survenu hier soir en basse ville. Une automobile piégée a explosé en fin de soirée devant un local appartenant au club de motards rival de celui visé par l'explosion de la veille. L'automobile avait été volée en après-midi. Il n'y a pas eu de victimes et l'immeuble n'a subi que des dommages relativement légers, mais on peut dire que la riposte à l'attaque de la veille ne s'est pas fait attendre.
>
> Un témoin, habitant en face de l'édifice visé par l'attentat, a vu, en jetant par hasard un coup d'œil à la fenêtre, un homme sortir de la voiture piégée après l'avoir stationnée. Mais, la rue était trop sombre pour que le témoin puisse donner une description valable du suspect.

Suivait une suite de considérations sur les conséquences possibles de la reprise de la guerre entre les clubs de motards rivaux. Le journaliste concluait en soulignant la responsabilité des autorités politiques et policières à assurer la paix et la sécurité publiques. Il insistait également sur la nécessité d'agir rapidement et de façon non équivoque dans ce dossier.

⁂

Francis et Marie-Andrée avaient, bien sûr, pris connaissance du reportage avec grand intérêt.

– On dirait qu'ils sont très occupés à se faire la guerre. Ils n'auront peut-être plus le temps de s'intéresser à toi, avait dit Marie-Andrée.

– C'est effectivement ce qui semble vouloir se produire, avait répondu Francis, songeur. Et c'est exactement le raisonnement que doit se tenir mon ami le sergent Landry.

Chacun était ensuite allé vaquer à ses occupations. Francis avait éprouvé de la difficulté à se concentrer sur son travail. Il devait, bien sûr, s'occuper de quelques autres affaires, mais il n'arrivait pas à se libérer l'esprit de tout ce qui s'était produit, en quelques jours à peine, dans l'affaire Varady. Il était également curieux de savoir ce dont son ami policier voulait lui parler. Il le connaissait suffisamment pour savoir que ce n'était pas pour rien que Robert avait demandé à le rencontrer dans un endroit public, à ciel ouvert.

⁑

En arrivant à l'arboretum, Francis constata que le sergent Landry l'avait précédé, puisqu'il l'attendait à bord de son véhicule, dans le stationnement. Une fois que le détective privé eut rangé l'automobile qu'il avait louée, les deux hommes entreprirent une marche côte à côte dans les allées de ce parc aménagé depuis quelques années à peine par la ville de Québec. Dans un site servant auparavant de « dépotoir à neige » l'hiver et abandonné aux mauvaises herbes l'été, on avait eu la bonne idée d'apporter du remblai afin de créer quelque relief. On avait ensuite disposé un certain nombre de blocs de granit dans le parc, regroupés et alignés dans une pente tel un amphithéâtre romain ici, ou servant de pont dans un étang ailleurs, l'étang, en outre, créé de toutes pièces.

Ensuite, arbres, arbustes et fleurs d'espèces diverses avaient été plantés en grand nombre et en grande variété et entourés de pelouse. En disposant de nombreux thuyas en rangées circulaires et concentriques, on avait créé un labyrinthe, au grand plaisir des enfants. Bien sûr, des allées avaient été aménagées afin de permettre aux gens de profiter de la beauté de l'endroit, que l'on avait, avec justesse et simplicité, appelé « l'Arboretum ». On s'était même donné la peine de construire un petit pavillon d'interprétation, une « volière à papillons » ainsi qu'une tour d'observation, de laquelle on peut admirer le fleuve Saint-Laurent, au-delà d'une autoroute aussi laide qu'utile. En somme, c'est dans un site magnifique, promettant, avec la maturation de la végétation, de le devenir encore plus d'ici quelques années, que les deux amis déambulaient.

– Tes problèmes avec les motards m'ont l'air réglés, en tout cas pour le moment. Et plus tard, il y a fort à parier qu'ils t'auront oublié, disait Robert Landry.

– Ouais, dis-moi que tu n'as rien à voir avec ça, je t'en prie.

– Bien sûr que je n'ai rien à y voir. Je suis policier moi, pas poseur de bombes.

– Ne joue pas ce jeu-là avec moi. Je t'assure que je ne te trouve pas drôle.

– Écoute-moi Francis, tout ce que je peux te dire c'est que tu t'étais retrouvé en sérieux danger par ma faute et que je me suis arrangé pour t'en sortir. Que voulais-tu que je fasse d'autre ?

– Rien. Je voulais que tu ne fasses rien. Les bombes qui ont explosé récemment auraient pu faire des victimes, sans compter que, si la guerre entre les motards reprend, il y en aura assurément des victimes. Peut-être même des victimes qui n'ont absolument rien à voir avec les activités des bandes de motards.

– Je fais affaire avec des gens qui s'y connaissent et qui sont prudents, alors les risques étaient minimes. Et la guerre entre les deux bandes de motards ne durera pas longtemps, crois-moi. Déjà, les journalistes et les éditorialistes exigent à cor et à cri une intervention musclée du gouvernement et de la police. On ne tardera pas à attribuer quelques millions à la création d'une nouvelle escouade temporaire consacrée à la lutte contre le crime organisé. Les gars vont avoir l'occasion de faire des heures supplémentaires pendant un certain temps. Quelques descentes et quelques perquisitions spectaculaires seront organisées, histoire de nuire un peu aux activités des bandes de motards, et surtout, d'avoir quelque chose à offrir à l'œil avide des caméras de télévision. Les motards comprendront rapidement qu'ils ont intérêt à se tenir tranquilles s'ils veulent pouvoir recommencer à s'adonner sans trop de problèmes à leurs commerces tout aussi lucratifs qu'illicites. À ce moment-là, tout le monde sera content : la population qui pourra à nouveau croire que tout va pour le mieux dans le meilleur des mondes ; les politiciens qui, grâce à l'« efficacité » de leur politique contre le crime, auront gagné quelques votes ; mes confrères qui auront réussi à diminuer sensiblement le solde de leur hypothèque ou qui se seront acheté un nouveau véhicule tout équipé grâce aux heures supplémentaires ; et enfin, les motards qui pourront à nouveau s'adonner à leurs activités sans trop d'entraves. Alors, pourquoi est-ce que tu fais tant d'histoires ? Tu es bien le seul à te plaindre. Est-ce que tu tiens tant à finir en charpie ? conclut le sergent Landry en adressant un clin d'œil à son ami.

Sa colère tombée, celui-ci ne put s'empêcher de sourire avant d'admettre :

– Je suppose que tu as raison de croire qu'ils auraient eu ma peau. Peut-être que je te dois des remerciements, après tout. Toujours est-il qu'il est possible que tes manigances n'aient rien changé de leurs intentions à mon égard.

– J'en doute, mais je t'accorde que c'est une possibilité. Je vais cependant savoir à quoi m'en tenir à ce sujet sous peu. J'ai un informateur sur place qui va me tenir au courant des développements et qui va même tenter d'influencer les autres pour qu'ils ne s'intéressent plus à toi. Je sais que je n'ai pas besoin de te dire que ce que je viens de t'apprendre est *top secret* et que ça doit rester strictement entre nous.

– J'en suis tout à fait conscient.

– Bon, alors que dirais-tu de monter dans la tour d'observation ?

– Ce n'est pas trop dangereux, ce genre d'exercice à ton âge ? dit Francis à son ami, retrouvant son habitude de le taquiner sur son âge. Ton cœur va-t-il tenir le coup ?

Le sergent Landry éclata de rire avant de répondre :

– Ne cherche pas d'excuse. Je pense que c'est toi qui ne te sens pas assez en forme pour monter là-haut au même rythme que moi.

Il partit aussitôt en direction de la tour, suivi par Francis qui riait lui aussi.

⁂

Francis était à son bureau lorsque, en cours d'après-midi, Marie-Andrée l'informa que l'agence de recherches médiatiques à laquelle elle s'était adressée, venait de faire parvenir le rapport qu'il avait demandé.

– Ils ne prétendent pas produire un rapport exhaustif, dit-elle, mais ils semblent avoir découvert des choses qui devraient t'intéresser.

– En tout cas, ils ont fait vite, commenta Francis en saisissant les feuillets que sa secrétaire lui tendait.

– Ils doivent être efficaces pour justifier le tarif exorbitant qu'ils exigent. Heureusement que nous ne nous adressons pas à eux tous les jours.

– Bof, de toute façon, c'est le client qui paie en fin de compte.

– Dans ce cas-ci, c'est une cliente et non pas un client qui aura à payer. Et j'ajouterais que c'est une cliente qui est loin de te laisser indifférent si je ne m'abuse, taquina Marie-Andrée avant de s'éclipser.

Feignant de ne pas avoir entendu cette remarque, Francis examina alors les quelques pages qu'il avait en mains. Il découvrit que son intuition ne l'avait pas trompé : il y avait effectivement eu, au cours des mois précédents, des assassinats de jeunes informaticiens à différents endroits du globe. À Paris, à Boston, à Bangalore, au Cap, à New York, à Tokyo, à Hong Kong, à Sydney, à Londres, à Berlin, aux quatre coins du monde, de tels crimes avaient été rapportés dans les journaux. Mais il semblait que, jusque-là, personne n'avait encore fait de rapprochement entre tous ces cas. Dans toutes ces villes, et sans doute ailleurs, de jeunes informaticiens, presque tous de sexe masculin, avaient été assassinés sans raison apparente. Or, les adeptes de jeux électroniques, ne se recrutent-ils pas surtout chez les jeunes hommes ? Et, à plus forte raison, quand il est question de jeux de combat ! Et les jeunes informaticiens ne sont-ils pas parmi les plus fervents adeptes de jeux vidéo ?

Il apparaissait fort probable aux yeux de Francis qu'un lien existait entre tous ces meurtres. Et si ce lien était le « Jeu ultime » ? Afin de conforter ses soupçons en ce sens, il allait confier à Marie-Andrée la mission de tenter d'obtenir les coordonnées de proches de quelques-unes des victimes. Elle entrerait ensuite en communication avec ces gens et vérifierait auprès d'eux si le jeune informaticien qu'ils connaissaient était bien un as des jeux électro-niques. Si, comme il le supposait, cela s'avérait le cas, il serait alors sans doute très intéressant d'aller faire un tour du côté de Singapour... L'offre de Sylvia Varady d'utiliser à cette fin le compte de banque de son frère commençait à vraiment l'intéresser.

⁂

Sept hommes participaient à la réunion. Elle se tenait à l'étage d'un immeuble abritant un bar miteux au rez-de-chaussée. La pièce était enfumée et les sept hommes étaient assis autour d'une table ronde jonchée de cendriers aux trois quarts pleins et de bouteilles de bière vides. Tous portaient des tee-shirts noirs avec l'emblème du club de motards dont ils étaient membres imprimé sur la poitrine. Au fond de la pièce, une table de billard attendait, dans la pénombre, d'éventuels joueurs. Un bar bien garni en spiritueux de toutes sortes se trouvait adossé au mur le plus rapproché de la table autour de laquelle les hommes avaient pris place.

Cependant, lorsque, à tour de rôle, un des hommes se levait pour aller se chercher à boire, ce n'était pas au bar mais plutôt au réfrigérateur situé un peu à sa gauche qu'il se rendait. Il en retirait alors une bière, la décapsulait d'une torsion du poignet et jetait négligemment la capsule sur le comptoir du bar, si bien que celui-ci, à son extrémité rapprochée du frigo, était maintenant encombré de nombreuses capsules. Parfois, avant de retourner à sa chaise, celui qui était allé se réapprovisionner restait debout un moment, bouteille à la main, tout en continuant à suivre la conversation et à intervenir au besoin. Comme c'était coutume depuis longtemps dans la bande, chacun des membres avait un surnom. On utilisait indifféremment le nom véritable ou le surnom pour s'adresser à quelqu'un.

– La voiture piégée a été placée en face de leur bar pour nous mettre le coup sur le dos, il n'y pas de doute là-dessus, disait celui des hommes surnommé le Brain. Il était depuis longtemps le principal stratège du groupe dans ses opérations « commerciales », ainsi que dans la guerre menée à la bande rivale. C'est probablement ce qui l'avait conduit à la tête du groupe, dont il était maintenant le chef incontesté.

– Leur immeuble n'a à peu près pas été endommagé et les soupçons retombent automatiquement sur nous. Maintenant, si nous répliquons vraiment à leur attaque de la veille, nous avons l'air de nous acharner, dit celui qui avait le crâne complètement rasé et qui était appelé Caillou pour cette raison. Ils retirent de l'affaire des avantages intéressants à peu de frais. C'est certain qu'ils ont eux-mêmes posé la bombe.

– Peut-être, fit le Brain d'un air songeur.

– Peu importe, il faut nous venger en frappant vite et fort, dit Black, qui devait son surnom à la couleur de sa peau, résultat de son amour pour les séances de bronzage. Une bombe puissante placée dans un de leurs principaux bars après l'heure de fermeture leur fera voir que leurs manigances ne nous arrêtent pas et qu'ils doivent nous prendre au sérieux. Donnez-moi carte blanche et ça ne traînera pas que je vais tout organiser.

– En tout cas, si nous sommes reconnus comme les agresseurs dans cette histoire, c'est sur nous de préférence que la police va tomber à bras raccourcis, tempéra « Ous-qu'on-est ». Il était surnommé ainsi à cause de la manie qu'il avait de demander à tout moment « où est-ce qu'on est? » lorsqu'il avait trop forcé sur l'alcool ou la drogue (ou le plus souvent les deux).

– On ne peut quand même pas laisser leur attaque sans réplique, dit Hercule, le culturiste à la carrure et à la stature imposantes. Nous serions la risée du milieu.

– Sans laisser leur attaque impunie, nous pourrions attendre un peu avant de riposter, intervint à son tour celui qu'on appelait le Curé parce qu'il portait le même nom qu'un ecclésiastique bien connu pour ses interventions publiques et qui était en charge d'une paroisse de la ville.

– C'est une stratégie qui pourrait être intéressante, commenta le Brain. Si on la retient, il faudrait cependant s'assurer de choisir avec beaucoup de précautions le délai d'attente. Il faut qu'il soit suffisamment long pour permettre qu'on nous oublie un peu, mais tout de même assez court pour que nos adversaires comprennent bien qu'il s'agit pour nous de riposter à leur attaque. En somme, si nous ripostons tout de suite, la police et la population croiront que nous avons posé trois bombes coup sur coup. Et, comme l'a fait remarquer Jean (c'était le prénom de Ous-qu'on-est), être pointés du doigt comme des agresseurs acharnés pourrait nous amener de sérieux problèmes. Par ailleurs, ne pas répliquer est absolument hors de question, car je suis tout à fait d'accord avec Hercule lorsqu'il dit que cela nous discréditerait dans le milieu. Si les gens ne nous craignent plus, il ne nous restera plus qu'à aller vendre des barres de chocolat dans les bingos paroissiaux. Je pense que le Curé a raison : attendons un peu avant de frapper. Selon moi, c'est la meilleure tactique à adopter. Qu'en pensez-vous ?

Disant cela, le Brain balaya du regard les autres hommes assis autour de la table.

– Je suis d'accord, approuva Hercule.

– Moi aussi, fit Ous-qu'on-est, avant de lâcher un rot sonore.

Le Curé ayant soumis l'idée, la majorité était déjà acquise. Les autres se turent, soit qu'ils approuvaient eux aussi la stratégie, soit qu'ils jugeaient plus prudent de taire leur opposition et de se rallier.

– Alors, c'est décidé : nous agirons plus tard. Quant au moment de notre riposte, nous le fixerons d'ici quelques jours. Nous pouvons maintenant commencer à vérifier si nous avons rencontré nos objectifs de recettes pour la semaine dernière.

– Avant, je crois que nous avons un autre sujet à régler qui est du même ordre que celui que nous venons d'aborder, intervint le Curé. Il s'agit du détective privé qui nous a fait des ennuis dernièrement.

– Ce sujet a déjà été entendu. Nous avons décidé de lui régler son compte, j'ai été chargé de m'en occuper et j'ai bien l'intention de le faire, déclara Black d'une voix agressive.

– On a vu ce que ça a donné l'autre fois, dit Ous-qu'on-est. Tu as fait sauter un gars de la bande qui nous approvisionne en bagnoles de luxe.

– Qui te demande ton avis? riposta Black en élevant le ton. D'ailleurs, ce n'est pas moi, mais un de mes gars qui l'a fait sauter. Je n'ai pas participé moi-même à l'opération.

– C'est du pareil au même. C'est toi qui as organisé cette action, alors tu en es responsable.

– C'est sans importance, ne nous disputons pas pour cela, intervint le Curé. L'important est que, maintenant que la population et la police croient que nous avons entrepris de poser des bombes en série, nous ne pouvons plus nous permettre de gaspiller des munitions pour un petit privé sans envergure qui ne nous gêne même plus. Dorénavant, et pour une certaine période, toute action agressive que nous mènerons risque d'être montée en épingle dans les médias et de se retourner contre nous et nos activités lucratives. La police est prompte à agir quand les médias pointent vers nous comme des chiens de chasse; nous en avons déjà fait l'expérience.

– Je te le répète, dit Black d'une voix qu'il réussissait à maîtriser tant bien que mal. Ce privé a déjà été condamné et il ne reste plus qu'à exécuter la sentence. Ce n'est pas parce qu'il s'en est sorti une fois qu'il faut le laisser s'en tirer comme ça.

– Je suis d'accord avec le Curé, trancha le Brain, tant mieux ou tant pis pour lui si le privé s'en est tiré, nous n'avons plus les moyens de nous intéresser à lui. Nous devons concentrer nos énergies contre nos véritables adversaires, ceux qui nous disputent nos territoires et nos revenus.

Le silence se fit pendant un moment, puis Black se leva en poussant violemment sa chaise qui tomba bruyamment par terre en versant sur le côté.

– Moi, je ne suis pas d'accord du tout. Je pense que vous vous ramollissez tous autant que vous êtes. Vous refusez de répondre tout de suite à l'attaque de nos adversaires et vous voulez laisser un petit détective privé de rien du tout s'en tirer comme ça après s'être attaqué à nos intérêts. Le Brain parlait tantôt de vendre des barres de chocolat dans les bingos paroissiaux. C'est tout ce que vous êtes bons à faire d'après moi… si on vous laisse entrer dans les salles de bingo.

Il sortit de la pièce en claquant bruyamment la porte, ignorant les appels à se ressaisir lancés par certains de ses camarades.

Chapitre 7
Entre chien et loup

L'après-midi avait été bien rempli, mais il était maintenant bel et bien terminé. La soirée était même déjà engagée, puisqu'on était entre chien et loup, lorsque Francis sortit de son bureau pour se rendre à un rendez-vous qu'un éventuel client lui avait fixé par téléphone. Le type en question, qui parlait avec un accent anglais, lui avait en effet laissé miroiter un juteux contrat. Il se disait président d'une entreprise relativement importante et avait besoin d'une agence de détectives pour mener une enquête sur des vols répétés d'équipement informatique survenus dans les locaux de l'entreprise. Il voulait, par ailleurs, faire enquêter sur certains employés actuels ainsi que sur les futures recrues. Comme l'entreprise embauchait régulièrement un nombre relativement important d'employés, le contrat à long terme qui s'offrait risquait d'être très intéressant.

Peut-être sa période noire était-elle vraiment maintenant chose du passé, se dit le détective privé. Peut-être les affaires allaient-elles enfin reprendre et son cabinet décrocher à nouveau des contrats importants.

Plusieurs journées s'étaient écoulées depuis que Francis avait obtenu le rapport de presse concernant les mystérieux meurtres de jeunes informaticiens. Au cours de cette période, Marie-Andrée avait réussi à contacter des proches de quelques-unes des victimes.

Comme Francis s'y était attendu, tous avaient déclaré que les jeunes informaticiens assassinés qu'ils connaissaient avaient été des mordus de jeux électroniques. Cela confirmait qu'il serait intéressant de se rendre à Singapour afin d'y poursuivre son enquête. Il allait donc bientôt partir pour cet état insulaire de l'Asie du Sud-Est.

En ce qui concernait la menace que faisait peser sur lui le groupe de motards, Francis avait été prévenu par son ami, le sergent Landry, de se montrer très prudent, car tout danger de ce côté ne semblait pas entièrement écarté. Il avait donc les sens particulièrement en éveil ces jours-là. C'est sans doute pour cette raison qu'il s'était rendu compte avoir été suivi, à certains moments, au cours des deux dernières journées. Au tout début, ça n'avait été qu'une vague impression, presque une intuition. Par la suite, cela s'était précisé, et finalement confirmé.

Celui qui s'était attaché à ses pas était un type de stature et de carrure moyennes qui n'était ni particulièrement beau ni particulièrement laid et qui n'avait pas vraiment de trait distinctif : le physique idéal pour ne pas attirer l'attention. De toute évidence, l'homme s'y connaissait très bien en filature; il était loin d'être un novice en la matière. N'eût été de la vigilance particulière qu'il manifestait à ce moment-là et de la grande expérience qu'il avait lui-même en filatures de toutes sortes, Francis ne se serait fort probablement rendu compte de rien. Le type qui le suivait était expert dans l'art de se confondre parmi les passants, de se réfugier derrière les obstacles visuels et de rester à une distance suffisamment grande pour ne pas être facilement remarqué, mais pas au point de trop risquer de perdre la trace de sa proie. Il connaissait tous les trucs du métier : un moment donné, alors qu'il était dissimulé par un obstacle, il retourna son blouson réversible – dont la couleur du revers contrastait fortement avec celle de l'endroit – et se mit des lunettes sur le nez avant de réapparaître, ainsi métamorphosé dans le rôle d'un autre personnage.

À un autre bref moment où le contact visuel était coupé, il se coiffa soudainement d'une casquette et se colla une moustache factice sous le nez, tout en retournant à nouveau son coupe-vent. Une autre fois enfin, changeant encore de personnage, c'est une perruque d'une couleur et d'une texture différentes de celles de ses cheveux qu'il se plaça sur la tête tout en jouant encore du blouson réversible.

Francis savait donc avoir affaire à un expert. C'est pourquoi, même quand il perdait la trace de celui qui s'était attaché à ses pas, il n'était jamais tout à fait certain de ne plus être suivi. Le type n'agissait d'ailleurs peut-être pas seul. Cependant, rien n'indiquait vraiment la présence de complices, puisque Francis n'avait, à aucun moment, pu repérer d'autres poursuivants.

Son malaise avait commencé l'avant-veille. Il se rendait alors déjeuner dans un casse-croûte situé à quelques pas de son bureau, à l'intérieur d'un petit centre commercial du quartier. Un sentiment étrange, qu'on pourrait qualifier d'intuition, fit qu'il s'était senti observé en s'y rendant. Sur son trajet, il se retourna à deux ou trois reprises, mais ne vit rien d'anormal. Il se dit, finalement, qu'il devenait exagérément nerveux, chassa cette idée de son esprit et n'y repensa pas du tout au cours de son repas. Au retour, son malaise reprit cependant de plus belle mais, pas plus qu'à l'aller, il ne put mettre le doigt sur quelque chose de précis susceptible de justifier ce sentiment.

Lorsqu'il sortit, encore à pied, pour le dîner, son pressentiment commença à se matérialiser quelque peu. Il se rendait alors, en compagnie de Marie-Andrée, à un restaurant où il allait régulièrement manger à sa pause de mi-journée. Pendant le trajet, il aperçut, quoique brièvement, son poursuivant pour la première fois. Un geste brusque de l'homme qui détournait la tête attira son attention. Mais, en retournant au bureau après le repas, Francis ne revit pas le type et se dit encore une fois que son imagination lui jouait des tours.

Toujours dans la journée de l'avant-veille, mais en après-midi, le détective privé sortit en automobile pour se rendre à un rendez-vous avec un informateur. Il eut encore le vague sentiment d'être suivi par une auto noire qui conservait tout de même toujours une distance respectueuse. À cause justement de cette distance et aussi parce qu'il ne l'apercevait souvent que brièvement dans son rétroviseur, il n'était pas absolument sûr qu'il s'agissait toujours de la même voiture. Finalement, alors qu'il devenait presque cer-tain d'être filé, il ne vit tout à coup plus d'auto noire dans son sillage. Se serait-il encore laissé berner par son imagination ? Cela demeurait tout à fait possible.

Le lendemain, les soupçons firent place pour de bon à la certitude dans l'esprit de Francis. Ce jour-là, en se rendant déjeuner au même casse-croûte que la veille, ses sens étaient particulièrement en éveil. Est-ce que, oui ou non, on le suivait ? Il tenait à en avoir le cœur net. Pendant le trajet, il s'arrêta dans une tabagie pour acheter un journal. Peu après être sorti, il laissa tomber volontairement son journal au sol, comme s'il l'avait échappé, et se retourna brusquement pour le ramasser. Après s'être retourné mais avant de se pencher, il jeta un bref mais attentif coup d'œil dans la direction d'où il venait. C'est là qu'il aperçut le type et que ses soupçons se trouvèrent définitivement confirmés. Il en était absolument certain : c'était bien l'homme dont il avait brièvement croisé le regard la veille.

Maintenant qu'il savait à quoi s'en tenir, Francis se sentait en meilleur contrôle de la situation. Après son déjeuner, il décida de se payer une bonne promenade dans les rues environnantes. Au cours de cette promenade de plusieurs minutes, il s'amusa à inventorier les astuces utilisées par son habile poursuivant. Celui-ci ne semblait pas s'être rendu compte d'avoir été repéré. La question qui se posait maintenant à Francis était : pourquoi le suivait-on ainsi ? Les motards s'en étaient déjà pris à lui et n'avaient alors apparemment pas eu à le suivre ou à le faire suivre. Cela ne ressemblait d'ailleurs pas à leurs méthodes. Mais avec ces gens-là, il ne faut jurer de rien. La question restait donc entière : qui pouvait bien être ce type attaché à ses pas et que lui voulait-il ?

Pendant un moment, Francis eut envie de se retourner brusquement, de marcher rapidement à la rencontre de l'homme et de lui demander des explications. Évidemment le type se contenterait, à coup sûr, de nier énergiquement le suivre. Et il se saurait repéré, ce qui enlèverait à Francis le léger avantage qu'il croyait maintenant avoir sur son adversaire. Mieux valait continuer à jouer le jeu, en demeurant très vigilant. Il finirait certainement par savoir ce que cela signifiait.

⁂

Francis était suivi depuis trois jours déjà. Du moins, était-ce la troisième journée qu'il en avait eu la vague impression pour la première fois. Ce matin-là encore, le mystérieux individu s'était attaché à ses pas. Et le même manège avait repris en après-midi lorsque le détective privé était sorti de son bureau pour aller dîner et faire quelques courses.

En début de soirée, il se rendait rencontrer dans un restaurant situé en banlieue, le client qui lui avait laissé entendre au téléphone qu'il avait un fort intéressant contrat à lui proposer. Le détective privé roulait sur une autoroute urbaine, en direction de l'est, au volant de la luxueuse automobile sport dont il venait de prendre possession.

Après avoir quitté l'autoroute, il lui restait moins de cinq minutes à rouler avant d'arriver à destination. L'entrée du Parc de la chute Montmorency ne tarda donc pas à apparaître à sa droite. Il y tourna et s'engagea dans l'allée menant au stationnement de la partie haute du parc. Il ne tarda pas à voir se profiler, légèrement à gauche au bout de l'allée, un bâtiment aux dimensions respectables, mis en évidence par une batterie de puissants projecteurs. Avant d'y arriver, il vit apparaître, à sa droite, l'entrée du stationnement. À cause du boisé assez dense bloquant la vue, ce stationnement n'était pas visible de la route. Il était faiblement éclairé par deux ou trois lampadaires dotés d'ampoules blafardes. Francis y abandonna son automobile et marcha en direction du Manoir Montmorency, situé à une bonne centaine de mètres du stationnement.

Ce bâtiment historique s'élève juste à côté de la chute dont il tire son nom. À vrai dire, l'actuel manoir Montmorency est plutôt une fidèle reconstitution qu'un véritable bâtiment historique au sens strict du terme. Le manoir original a été entièrement rasé par le feu au cours d'une nuit en 1993, alors que d'importants travaux de rénovation avaient été entrepris dans le cadre du projet de remise en valeur de l'ensemble du site.

N'empêche que le lieu est sans contredit hautement empreint d'histoire. Le domaine existe depuis 1780, lorsque quelques parcelles de terrain sont réunies par sir Frederick Haldimand, alors gouverneur du Canada, afin d'y ériger, l'année suivante, une résidence estivale et de jouir du paysage saisissant offert à la vue en cet endroit exceptionnel. Il appelle alors cette résidence Montmorency House. Le gouverneur Haldimand ne pourra jouir très longtemps de la majesté du site, car il est rappelé à Londres dès novembre 1784 où il meurt deux ans plus tard.

En 1791, le domaine accueille un autre illustre occupant. Le duc de Kent – qui sera plus tard le père de celle qui deviendra la reine Victoria – s'y installe avec sa compagne, Madame de Saint-Laurent. Pendant les trois étés de son séjour à Québec, il y donnera de grandes réceptions, auxquelles participeront nombre de visiteurs de marque. Au cours de cette période, le bâtiment principal est appelé Kent Lodge ou Mansion House.

Par la suite, tout au long du dix-neuvième siècle, le célèbre domaine change de mains à plusieurs reprises mais, bien que riches, les divers propriétaires qu'il connaît alors sont, il faut bien le reconnaître, beaucoup moins prestigieux que ceux du siècle précédent. Cependant, en 1900, c'est le retour du pendule : la villa est transformée en un prestigieux hôtel auquel le nom de Kent House est donné. Sur le domaine, sont alors aménagés un zoo, un terrain de golf, des jardins fleuris avec fontaine ainsi qu'un « théâtre rustique ». On construit également un funiculaire reliant le haut de la falaise, c'est-à-dire l'hôtel et les équipements touristiques avoisinants, avec le pied de la falaise où se trouve la gare par où arrivent les nombreux touristes bien nantis venus profiter tant des activités diversifiées que de la beauté exceptionnelle de l'endroit.

Le regain que connaît alors le site dure jusque vers la fin des années vingt. Puis, sans doute à cause de la grave crise économique que connaît alors le monde, c'est à nouveau l'oubli. En 1954, l'ordre religieux des Dominicains acquiert la majeure partie du domaine, puis la cède au gouvernement de la province de Québec en 1975. Le bâtiment principal portera dorénavant le nom de Maison Montmorency ou Manoir Montmorency. Sans être vraiment mis en valeur, le site, à cause de sa beauté naturelle, attire quand même de nombreux touristes venant de partout dans le monde pour voir la célèbre chute.

Finalement, dans les années quatre-vingt-dix, le gouvernement du Québec décide d'aménager l'endroit et de rénover le bâtiment. C'est pendant ces travaux de rénovation que le manoir est entièrement détruit par le feu. Une réplique est donc peu après érigée au même endroit. De plus, divers aménagements sont construits autour de la chute, notamment un téléphérique ainsi que des escaliers, terrasses et belvédères panoramiques. Depuis, le site connaît un nouveau regain de popularité et attire plus de visiteurs que jamais auparavant.

Donc, après avoir rangé son auto dans l'aire de stationnement, Francis se dirigea vers le bâtiment chargé d'histoire qui se trouvait à quelque distance. Le manoir étant construit très près de l'arête de la falaise, à mesure qu'il approchait, il entendait croître le bruit des masses d'eau tombant avec fracas. Une fois à l'intérieur du manoir, Francis se dirigea immédiatement en direction du restaurant La dame blanche. La salle à manger de ce restaurant offre une vue impressionnante sur la chute Montmorency, le fleuve Saint-Laurent et l'île d'Orléans. Même lorsque le jour est tombé, comme en ce moment, les clients peuvent profiter du superbe spectacle naturel grâce aux puissants projecteurs éclairant le dense mur d'eau. S'ils sont très attentifs, peut-être pourront-ils même apercevoir un bref instant la silhouette de la dame en blanc qui a donné son nom au restaurant.

En effet, le restaurant tire lui aussi son nom du passé lointain, sinon de l'histoire. Selon une légende locale bien connue, une jeune fille des environs, fiancée à un des soldats de l'armée française, aurait perdu son fiancé lors de la bataille de Montmorency, le 31 juillet 1759, entre les troupes françaises et l'armée anglaise venue assiéger Québec. Désespérée, la jeune femme aurait, selon la légende, alors erré pendant plusieurs jours dans les bois avoisinants, vêtue de la robe blanche de ses fiançailles. Et elle serait ensuite disparue pour toujours. Par la suite, plusieurs habitants de l'île d'Orléans située juste en face, auraient aperçu lors des soirs sans lune, se profiler dans l'écume de la chute, une forme rappelant une dame vêtue de blanc.

Francis n'avait ni le magnifique spectacle naturel, ni la légende en tête en ce moment : il était là pour discuter avec un important client éventuel. En se présentant au maître d'hôtel du restaurant, il indiqua le nom de l'homme qu'il venait rencontrer et qui, selon ce qui avait été convenu, devait se charger de la réservation.

– Ce monsieur vient justement de téléphoner pour laisser un messager à votre intention, répondit l'employé du restaurant.

Et il apprit alors à Francis que, à cause d'un imprévu, son éventuel client ne pourrait se présenter au rendez-vous. L'homme lui faisait transmettre ses excuses pour ne pas avoir pu le prévenir plus tôt. Ressentant une certaine colère, Francis sortit sans plus attendre du restaurant, puis du manoir. Il repartit en direction de l'endroit où il avait laissé son auto.

Le stationnement peu éclairé était désert et le privé arrivait à proximité de sa voiture lorsqu'un léger bruit attira son attention. Aussitôt, tous ses sens furent à nouveau en éveil. Tournant la tête dans la direction d'où lui était parvenu le bruit ténu, il vit que la glace du côté chauffeur de l'une des automobiles stationnées un peu plus loin, était baissée. Dans la pénombre de l'habitacle, il décela un mouvement et vit un faible reflet métallique. Il devina immédiatement l'origine de ce reflet : le canon d'une arme à feu. Il réagit alors instinctivement en se jetant au sol derrière son automobile neuve. Au même moment, une balle en fracassait le pare-brise.

Un léger « blop » s'était fait entendre. L'arme de l'agresseur était, de toute évidence, munie d'un silencieux et ne risquait donc pas d'attirer l'attention. Ce premier coup de feu fut suivi de plusieurs autres alors que Francis, restant plaqué au sol, entendait les glaces de son superbe véhicule voler en éclats et la carrosserie se faire perforer comme une vulgaire feuille de papier.

Il ne pouvait riposter puisqu'il n'avait pas l'habitude de porter une arme sur lui. Bientôt, le silence se fit, puis le privé entendit claquer légèrement la portière de l'auto de son agresseur. Celui-ci avait sans doute introduit un autre chargeur dans son arme et s'approchait pour vérifier s'il avait fait mouche et, au besoin, achever sa victime.

Francis qui, miraculeusement, n'avait pas été touché, n'attendit pas l'arrivée du tueur. Il rampa le long de son automobile jusqu'à la fin de l'aire de stationnement asphaltée. Il continua ensuite sur la pelouse, puis se laissa rouler de côté sur la pente assez prononcée qui débutait un mètre plus loin. La dénivellation d'environ un mètre et demi continuait tout le long du stationnement. En suivant la base de la dénivellation, il recommença à ramper rapidement en direction du boisé assez dense qui sépare, sur une distance de quelques dizaines de mètres, le stationnement de la voie publique.

Le tueur était sans doute arrivé à l'endroit où Francis s'était abrité pendant la fusillade, car il l'entendit jurer en anglais – il venait probablement de constater qu'il n'y avait ni blessé ni cadavre à l'endroit où il escomptait trouver l'un ou l'autre. Le juron dans la langue de Shakespeare attira l'attention du détective privé. Soudainement, la lumière se fit dans son esprit. Et si son agresseur, celui qui le filait et son pseudo-client ne faisaient qu'une seule et même personne ? Cela lui semblait maintenant l'évidence même : il avait été attiré dans un guet-apens et il y était encore tombé tête baissée.

Mais ce n'était pas le moment de réfléchir à la question et de se faire des reproches. En effet, son agresseur avait vite compris par où il était parti et il suivit la même direction. Francis tourna brièvement la tête et, dans l'éclairage diffus provenant des faibles et rares lampadaires, le tireur et lui eurent à peine le temps de s'entrapercevoir mutuellement avant que la proie ne gagne, d'un ultime bond, le refuge procuré par la dense végétation du boisé. Le détective privé entendit quelques balles se frayer un chemin dans le feuillage près de lui, mais eut la chance de s'en tirer encore indemne.

Il avait maintenant un avantage sur son poursuivant que celui-ci ignorait presque à coup sûr : il avait passé la majeure partie de son enfance près de ce site et il connaissait l'endroit comme sa poche pour l'avoir jadis exploré de long en large avec ses amis. Il savait, par exemple, qu'un peu plus loin devant lui, de petites résurgences sortaient du sol en ruisselets qui se regroupaient peu après pour former un véritable ruisseau. Il savait également que, plus haut dans la pente au bas de laquelle les ruisselets prenaient naissance, se trouvaient les vestiges en béton d'une cage datant de la période où un zoo avait été aménagé sur place. Il restait vraiment très peu de l'ancienne cage, et ce qui en restait était pratiquement invisible, même en plein jour, tellement la végétation était dense. Un des coins du muret de béton était encore debout sur une hauteur de près d'un mètre et sur une longueur à peu près équivalente dans chacune des deux directions. Francis gagna directement ce refuge et resta alors complètement immobile adossé au coin de ciment. Celui-ci faisait dos au bas de la pente, donc à la direction dans laquelle se trouvait celui qui le pourchassait. L'homme entra précautionneusement dans le boisé.

« Heureusement que cette partie du parc n'est pas entretenue », pensa le privé alors que, par le craquement des brindilles, il entendait l'homme armé progresser dans le boisé en se frayant un chemin. Un « plouf » sourd se fit bientôt entendre, suivi d'un autre juron. Francis comprit que son poursuivant venait de mettre le pied dans le ruisseau. L'homme rebroussa chemin et continua à avancer à tâtons dans l'obscurité.

Les craquements révélateurs de la présence du type finirent par s'éloigner, puis par disparaître. Francis resta cependant prudemment tapi dans son refuge encore plusieurs minutes. Son abri ne se trouvait pas très loin de l'allée principale menant de l'entrée du parc au Manoir Montmorency. Cela lui permit d'entendre, à trois ou quatre reprises, des véhicules rouler sur cette allée, puis s'engager sur la voie publique en s'éloignant du parc. Peut-être l'automobile de son agresseur était-elle parmi ces véhicules?

Lorsqu'il se décida finalement à sortir de son abri, il ne prit pas le risque de retourner en direction du manoir et du stationnement. De toute façon, sa belle et puissante automobile ne lui serait plus d'aucune utilité ce soir dans l'état où elle était maintenant. Il se dirigea donc vers le sud à travers bois et champs.

Il savait que, dans cette direction, à relativement peu de distance, se trouvait la rue habitée la plus rapprochée du parc, une courte ruelle sans issue et peu fréquentée sur laquelle étaient construites à peine quatre ou cinq maisons. Elle prenait naissance dans une courbe à quatre-vingt-dix degrés que faisait l'artère principale. Pour l'étranger, la rue en question n'apparaîtrait que comme une étroite allée asphaltée et peu éclairée, bordée des deux côtés de végétation dense. Les quelques maisons étaient érigées à l'autre extrémité de la rue, près du cul-de-sac.

Après quelques minutes de marche, le privé alla frapper à la porte de la maison la plus à l'écart. Un homme d'un certain âge ne tarda pas à venir lui ouvrir. Francis raconta une histoire cousue de fil blanc selon laquelle il serait allé se promener sur les terrains du parc malgré l'obscurité et se serait égaré. L'homme ne parut pas mettre l'histoire en doute et appela un taxi comme son étrange visiteur venait de le lui demander.

Le taxi ne tarda pas à venir chercher Francis. En quittant la petite rue pour se retrouver sur l'artère importante qui passait là,

Francis examina avec soin les alentours. Si son agresseur s'était posté pour guetter sa sortie, c'est dans ces parages qu'il aurait fait le guet, et l'arrivée d'un taxi n'aurait pas manqué d'attirer son attention. Francis ne remarqua rien de suspect et le taxi put le ramener à son appartement sans encombre.

⁂

Le lendemain matin, il en était à nouveau réduit à se rendre au travail en taxi. Il était depuis peu de temps à son agence lorsqu'il y vit arriver, en coup de vent, son ami le sergent Landry. Le policier salua Marie-Andrée au passage et entra immédiatement dans le bureau de Francis.

– Qu'est-ce qui s'est passé hier soir ? demanda-t-il sans préambule à son ami.

– Bonjour, comment vas-tu ? lui répondit celui-ci.

– Salut, fit le policier d'une voix glaciale qui laissait transparaître sa colère. Réponds-moi, s'il te plaît, je n'ai pas du tout la tête à blaguer ce matin. J'arrive au poste et j'apprends que ta nouvelle auto, transformée en passoire, a été retrouvée au Parc de la chute Montmorency. Comme on était sans nouvelles de toi – ni plainte, ni déposition officielle – pire, tu ne m'as même pas contacté, figure-toi que je me demandais sérieusement si tu n'avais pas été transformé en viande froide. D'ailleurs, je faisais partie des gens qui, tôt ce matin, ratissaient le parc à la recherche de ton cadavre.

– Je dirais que c'était peut-être un peu prématuré.

– Je te l'ai dit, je n'ai pas le cœur à la blague ce matin.

– Bon d'accord, je reste sérieux. Assieds-toi et je vais tout te raconter.

Quelques minutes plus tard, le sergent Landry était au courant des mésaventures que son ami avait subies la veille et de la filature dont il avait été l'objet au cours des derniers jours. Il reprocha sévèrement à Francis de ne pas lui avoir parlé de cette filature plus tôt. Rassuré néanmoins que celui-ci ait pu encore une fois s'en tirer indemne, il commençait à retrouver son sens de l'humour habituel.

– Laisse-moi récapituler, dit-il. Tu as récemment été la cible d'un attentat à la bombe, je te préviens qu'il y a encore du danger, tu es filé depuis quelques jours et, malgré tout, tu te rends à un rendez-vous fixé par un inconnu dans un endroit relativement à l'écart. Pour un détective privé, il n'y a pas là de quoi se vanter.

– Je le sais fort bien, figure-toi. J'avais l'impression que ma mauvaise période était terminée et je n'ai pas réfléchi. Je suis tombé bêtement dans un piège tellement gros que même un policier aurait pu le pressentir. Alors, tu as parfaitement raison, il n'y a pas là de quoi me vanter.

Tous deux partirent alors à rire.

– Dis donc, j'y pense, c'est très dangereux, pour une automobile, de te fréquenter, reprit le sergent Landry.

– Je ne te le fais pas dire. Mes primes d'assurance vont me coûter la peau des fesses.

– Ne sois pas vulgaire, fit le policier en souriant. En tout cas, je pense que tu as tout à fait raison de croire que tu ne seras pas très populaire auprès des assureurs. Mais, ne t'en fais pas trop à ce sujet, avec le juteux contrat qui s'annonce, tu auras de quoi facilement payer tes primes.

– Ne tourne pas le fer dans la plaie, je t'en prie. Je sais bien que j'aurais dû me méfier et que j'ai été stupide.

– À mon tour, je ne te le fais pas dire. Bien, maintenant que je sais à quoi m'en tenir sur ce qui s'est produit hier soir, je dois m'en aller, car j'ai une journée bien remplie qui m'attend. Je vais, entre autres, tenter de savoir qui est derrière cet autre attentat.

– Tu es une véritable mère poule pour moi, plaisanta Francis.

– Ouais, en tout cas, n'oublie pas d'aller faire une déposition au poste cet avant-midi. Il y a certains de mes confrères qui auraient eu envie de venir te tirer l'oreille tout à l'heure, quand ils ont appris que tu étais ici et que tu es sain et sauf. Ils n'ont pas du tout apprécié que tu ne te manifestes pas après ce qui est arrivé. Je les ai calmés en leur disant que je venais aux nouvelles. Cependant, je ne te cacherai pas que tu commences franchement à taper sur les nerfs de certains d'entre eux. Je pense en particulier à ton « ami », le capitaine Demers.

– Et qu'est-ce qu'il me reproche au juste, ce brillant limier? D'avoir la fâcheuse habitude d'être sujet à des attentats? Ou serait-ce plutôt de m'en être tiré indemne jusqu'à maintenant?

– Je pencherais plutôt pour la deuxième possibilité. C'est que j'ai l'impression qu'il a appris que tu t'intéressais à une de ses enquêtes.

– Je me doutais qu'il finirait bien par l'apprendre.

– Si c'est là tout l'effet que ça te fait, je vais te laisser à tes occupations. Je te tiens au courant et j'espère que tu en feras autant cette fois-ci si quelque chose de louche ou d'inhabituel se produit.

– Compte sur moi, si je rencontre un politicien qui me semble dire la vérité, je te téléphone sans attendre pour t'en informer.

– Très drôle, fit le sergent Landry en esquissant un sourire contraint. Au revoir quand même… et sois prudent.

Une fois son ami parti, Francis téléphona à Sylvia Varady pour vérifier si leur rendez-vous tenait toujours. Ils devaient retourner dîner, ce jour-là, au restaurant de la Grande-Allée où ils étaient déjà allés. Francis devait faire le point pour sa cliente avant son départ pour Singapour.

⁂

Comme le temps était superbe, ils s'étaient attablés à la terrasse du restaurant. Francis trouva Sylvia Varady encore plus jolie qu'à leur précédente rencontre. Toutefois, c'était le genre de commentaire qu'il s'interdisait de faire à ses clientes. Ce n'aurait pas fait très professionnel. Déjà que sa réputation laissait à désirer... Quoi qu'il en soit, c'est avec grand plaisir qu'il se retrouvait attablé avec Sylvia devant un bon repas.

– Ainsi, vous allez bientôt partir pour Singapour, dit la jeune femme. Cela me redonne espoir de connaître la vérité au sujet de la mort de mon frère. Compte tenu de ce que vous avez découvert au sujet des assassinats de jeunes adeptes de jeux vidéo aux quatre coins du globe, je suis vraiment persuadée que c'est là-bas que se trouve le nœud de l'affaire.

– Je reconnais avoir d'abord été sceptique, mais je suis maintenant d'accord avec vous. Ne vous faites quand même pas trop d'illusions. Je vais avoir à travailler à l'autre bout du monde dans un endroit où je ne connais personne, alors mes chances de découvrir des informations valables me semblent plutôt faibles.

– Ne vous sous-estimez pas, fit la jeune femme. J'ai confiance en vos capacités.

« Vous êtes bien la seule », pensa Francis en se contentant de sourire et en disant :

– Croyez bien que je vais faire tout ce que je pourrai pour mériter votre confiance.

À une table voisine, des gens commentaient la première page du journal où il était question de l'attentat de la veille.

– Cet attentat est sans doute encore relié à la guerre des motards, dit un homme.

– C'est impensable, il n'y a décidément plus d'endroit où être vraiment en sécurité, répondit une femme.

– Eh oui, dit Sylvia, ayant entendu ce qui se disait à la table voisine, encore un attentat. Je suis heureuse que cette fois-ci ce ne soit pas vous qui en ayez été la cible.

– J'en suis heureux moi aussi, répondit Francis, qui ne voulait pas inquiéter la jeune femme outre mesure en lui révélant sa dernière mésaventure.

Il ramena donc aussitôt la conversation sur les préparatifs en vue de son voyage imminent. Ce faisant, et mine de rien, il s'intéressa à leur entourage. Après ce qui lui était arrivé encore la veille, il savait devoir se montrer très prudent. Il était fort conscient d'avoir déjà fait une entorse à ce devoir de prudence en s'installant à la terrasse du restaurant plutôt qu'à l'intérieur. Il appréciait désormais tellement la présence de Sylvia Varady qu'il n'avait pu se résoudre à la décevoir lorsqu'elle avait suggéré qu'ils profitent du beau temps en s'attablant à cet endroit.

À la table à sa gauche, prenaient place deux hommes et deux femmes vêtus de complets-cravate et de costumes tailleurs. Sans doute des fonctionnaires à leur pause de midi. C'étaient eux qui avaient tenu la conversation sur l'attentat rapporté dans le journal.

L'autre table à proximité du détective privé et de sa cliente était occupée par un homme et une femme arrivés peu après eux. Ils semblaient très discrets, car ils parlaient à voix suffisamment basse pour que, même en y portant attention, Francis ne puisse distinguer l'objet de leur conversation. Ils étaient vêtus de façon plutôt décontractée, mais ils pouvaient très bien quand même être des fonctionnaires. Par leur attitude, il ne semblait pas à Francis qu'il s'agissait d'un couple, malgré la discrétion dont ils faisaient montre.

– Dites donc, est-ce que vous m'écoutez ? demandait Sylvia.

Francis se rendit alors compte d'avoir été distrait par ses pensées. Il sourit à son interlocutrice en lui disant :

– Pardonnez-moi, je suis un peu préoccupé ces temps-ci.

– Je commençais à me demander si vous n'étiez pas un peu las de ma compagnie.

– Pas du tout, je vous assure. Bien au contraire. En fait, il y a très longtemps que je n'ai pas été aussi bien avec quelqu'un.

– Vous me rassurez, car je dois avouer que votre compagnie est également loin de me laisser indifférente.

– Auriez-vous un faible pour les vieux loups solitaires couverts de cicatrices ?

– Pourquoi vous comparer à un loup ?

– Parce qu'on dit que le loup gravement blessé rentre dans sa tanière et lèche sa blessure jusqu'à ce qu'elle guérisse. J'agis de la même façon.

– Et cela vous est arrivé souvent de vous réfugier dans votre tanière pour lécher une blessure ?

– Trop souvent. À vrai dire, je crois qu'il ne me reste plus beaucoup de salive cicatrisante. Mais je ne vais pas vous ennuyer avec ces vieilles histoires.

– Cela ne m'ennuierait pas de vous entendre me raconter votre vie, bien au contraire.

– Mes vieilles plaies sont maintenant cicatrisées et je n'ai pas du tout envie de les rouvrir. Parlez-moi plutôt de vous, c'est un sujet qui m'intéresse beaucoup plus. Je sais peu de choses à votre sujet sinon que vous êtes informaticienne, que vous êtes obstinée et que vous êtes très belle. « Ça y est », se dit Francis aussitôt cette phrase prononcée, « je viens de briser une autre règle de conduite du parfait détective privé. Elle va trouver que je suis un affreux macho ».

– Vous trouvez ? demanda Sylvia sans paraître se formaliser des paroles de son interlocuteur.

– Je suis catégorique.

– Alors, merci pour ces compliments. Alors pourquoi dites-vous que je suis obstinée ?

– Parce que vous tenez absolument à connaître la vérité au sujet de la mort de votre frère et que vous n'abandonnerez pas avant de la connaître.

Sans s'en rendre compte, Francis venait de briser une autre règle d'or du détective privé qui se sait menacé : pris par la conversation avec Sylvia Varady, il avait perdu sa vigilance. Il n'avait donc pas remarqué la camionnette qui avançait lentement sur Grande-Allée en direction ouest et dont le conducteur et le passager regardaient tous deux fixement dans sa direction. Il n'avait pas vu non plus le passager lever le bras et pointer un pistolet dans sa direction par l'ouverture de la glace. Tout cela n'avait cependant pas échappé à l'homme et à la femme qu'il avait tout à l'heure trouvé discrets et qui occupaient la table voisine, non plus qu'à deux autres hommes dans une auto stationnée de l'autre côté de l'avenue. Et ces gens réagirent très vite.

D'abord, la voiture stationnée s'élança dans un crissement de pneus à la rencontre de la camionnette des agresseurs. Les deux véhicules entrèrent en collision avec fracas juste au moment où l'homme armé faisait feu. Entre-temps, l'homme et la femme qui étaient voisins de table de Francis et Sylvia s'étaient élancés vers eux, les plaquant au sol avec rudesse tandis que des coups de feu et des cris se faisaient entendre. La collision provoquée avait fait dévier le tir de l'agresseur, ce qui avait probablement sauvé la vie de Francis.

Le détective privé et sa cliente se relevaient maintenant, en même temps que leurs anges gardiens. Ils avaient d'abord été surpris et choqués de se voir ainsi bousculer sans ménagement, mais ils commençaient à comprendre ce qui était arrivé. D'ailleurs, leurs sauveteurs s'identifiaient à eux comme des agents de police qui avaient été chargés de la protection de Francis, « étant donné ce qui s'était produit encore la veille ».

Dans la rue, on pouvait constater que l'homme au pistolet avait été propulsé contre le pare-brise de la camionnette sous la force de l'impact et avait perdu son arme sur la chaussée. Du sang s'échappait d'une blessure qu'il s'était faite au front et, l'air groggy, il restait maintenant immobile sur la banquette du véhicule. Le conducteur en était sorti en vitesse pour tenter de s'enfuir, mais il s'était retrouvé nez à nez avec deux agents en uniforme qui le menaçaient de leurs armes. De leur côté, les deux agents en civil qui avaient lancé leur véhicule contre celui des agresseurs, allaient prendre charge du tireur groggy.

Dans le tumulte et le désordre qui régnaient sur la terrasse du restaurant, on réalisa alors qu'une femme avait été atteinte par un projectile. C'était justement la femme qui avait déclaré un peu plus tôt qu'il n'y avait plus d'endroit où être vraiment en sécurité. Elle ne croyait pas alors si bien dire. Une autre cliente du restaurant, se déclarant médecin, s'était portée à son secours.

– Est-ce grave ? demanda au médecin le policier qui avait bousculé Francis.

– Non, c'est une blessure superficielle à l'épaule. Elle va s'en remettre rapidement.

– Je demande immédiatement une ambulance.

– Très bien, la blessée est sous l'effet d'un choc mais dès que les ambulanciers arriveront, je pourrai lui administrer quelque chose en utilisant leur matériel.

En effet, c'est plus *émotivement* que physiquement que la victime semblait atteinte. Le regard vitreux, elle ne cessait de geindre. Impuissants, d'autres gens qui s'étaient trouvés eux aussi sur la terrasse au moment de l'attentat, la regardaient en se tenant à quelque distance. De leur côté, Francis et Sylvia s'étaient instinctivement retrouvés dans les bras l'un de l'autre.

– Je suis désolée pour cette femme, mais je suis si heureuse qu'il ne te soit rien arrivé, disait Sylvia.

– Je m'en serais voulu éternellement si tu avais été blessée, répliquait Francis. Je n'ai vraiment pas été à la hauteur encore une fois. Je m'étais promis de surveiller attentivement tout ce qui allait se passer autour de nous.

– C'est moi qui t'ai distrait. Mais, dis-moi, le policier n'a-t-il pas dit il y a un moment qu'il s'était passé quelque chose te concernant hier soir ? Quelque chose d'assez grave pour justifier cette surveillance ? demanda Sylvia.

Comme Francis ne répondait pas, elle poursuivit :

– J'ai compris, c'est ton auto qui a été criblée de balles au Parc de la chute Montmorency, n'est-ce pas ?

– Mon auto rendait sans doute quelqu'un envieux, plaisanta Francis.

– Je ne te trouve pas drôle. D'ailleurs, tu disais tout à l'heure que je suis obstinée, eh bien il n'est plus question d'obstination maintenant. Je suis certaine que c'est à cause de l'enquête que je t'ai confiée que tout cela t'arrive et il n'est plus question de poursuivre maintenant.

– C'est mon travail. Pourquoi laisserais-je tomber maintenant ?

– Parce que je ne veux pas te perdre. Je t'aime, lui dit Sylvia en le regardant dans les yeux.

– Je t'aime moi aussi, lui avoua Francis.

Et ils s'enlacèrent dans un baiser passionné.

Quand ils émergèrent du monde dans lequel ils s'étaient momentanément réfugiés, oubliant tout ce qui se passait autour d'eux, Sylvia reprit :

– Il ne faut pas que tu poursuives cette enquête dangereuse. J'ai plus besoin de toi que de connaître la vérité sur l'assassinat de mon frère.

De sa voix la plus douce, la plus apaisante, Francis répliqua :

– Moi, j'ai maintenant besoin de la connaître cette vérité. Je tiens absolument à réussir au moins cela. Dans mon esprit, il me semble que cela pourra servir de contrepoids à de nombreux échecs que j'ai connus. J'en ai besoin ! D'ailleurs, au train où vont les choses, je serai probablement plus en sécurité à l'étranger, où la suite de l'enquête m'attend, que si je reste ici.

La jeune femme se blottit la tête contre son épaule sans répondre. Il comprit qu'elle se ralliait ainsi à sa décision.

Sirènes hurlant, l'ambulance arrivait sur les lieux de même que quelques voitures de police. De l'une de ces voitures, comme Francis s'y attendait, descendit le sergent Landry. Le policier se dirigea vers son ami. Arrivé à proximité, il lui dit :

– Tu as encore foutu un sacré bordel, dis donc! Demers a raison, tu es vraiment un fauteur de troubles.

– Je prenais tout simplement un bon repas en compagnie d'une charmante jeune femme. En passant, c'est certainement à toi que je dois cette surveillance dont j'étais l'objet.

– Après tout ce qui s'est passé dernièrement, j'ai cru que cela pourrait être utile.

– Tu as donc sans doute sauvé ma vie, de même peut-être que celle de Sylvia.

– N'en faisons pas une montagne. C'est mon travail après tout de protéger la vie de tous les citoyens, même celle des fauteurs de troubles, dit le sergent en faisant un clin d'œil.

Un agent s'approcha d'eux et, discrètement, glissa à voix basse à l'endroit du sergent Landry :

– Voici le capitaine Demers.

En effet, celui-ci venait de descendre d'une voiture de police banalisée et approchait d'eux. C'était un homme corpulent, à la chevelure blanche, mais très dense et au regard glacial.

– Je vais finir par croire que tu es l'homme le plus haï en ville, dit-il à l'adresse de Francis.

– De mon côté, je dirais que tu mérites largement cet honneur. Tes « admirateurs » sont tout simplement plus réservés que les miens.

– Toujours aussi drôle à ce que je vois, répliqua Demers. Se tournant vers le sergent Landry, il poursuivit : « Que signifie tout ceci ? »

– Comme tu peux le constater, il s'agit d'un attentat perpétré par deux membres d'une bande de motards.

– Qu'est-ce qui te fait dire qu'il s'agit de motards ?

– Je les ai reconnus en arrivant sur les lieux.

– Quand je demandais ce que tout cela signifie, je voulais plutôt parler de l'utilisation, sans mon autorisation, des ressources de mon service pour assurer la protection d'un civil.

– Je n'ai pas jugé utile de te déranger pour si peu. D'ailleurs, les faits ont démontré que j'ai eu raison d'agir ainsi. N'eût été de mon initiative, qui sait combien de personnes auraient perdu la vie ici aujourd'hui ? Il serait difficile de me la reprocher officiellement.

– Soit, mais je t'avertis que je te tiens dorénavant à l'œil. Je ne veux plus de ce genre d'initiative. Compris ?

Le capitaine Demers se retourna et repartit en direction de son automobile.

– J'espère que cet imbécile ne te créera pas d'ennuis parce que tu m'as aidé, fit Francis.

– Ne t'en fais pas, il ne peut rien contre moi, et il le sait très bien. Lorsqu'on a été « blessé en service commandé », cela a ses avantages…

– Tu es incroyable, répondit Francis en riant de bon cœur.

Chapitre 8
Un été à cigales

Le jour du départ pour Singapour était arrivé. En fait, le détective privé ne partait pas vraiment pour l'Asie du Sud-Est ce jour-là, car il devait faire un saut à Ottawa avant de se diriger vers l'Extrême-Orient. Quelqu'un travaillant au Centre de sécurité des télécommunications – ou CST – avait grandement insisté pour le rencontrer avant son départ. Il s'agissait du contact, au sein de cet organisme, par lequel était passée la demande officieuse de renseignements concernant l'origine des courriers électroniques suspects reçus par Stefan Varady. Ce type qui œuvrait au sein du CST devait impérativement, paraît-il, confier certains détails à Francis en tête à tête avant que celui-ci se rende à Singapour.

– Pourquoi ne pas me confier ces renseignements au téléphone ? avait demandé Francis au Sergent Landry quand il lui avait appris la chose.

La perspective d'un détour par Ottawa n'enchantait, en effet, pas du tout le détective privé. Il aimait beaucoup cette ville, qu'il avait visitée à quelques reprises déjà, mais il avait hâte d'être à pied d'œuvre en Asie pour y poursuivre son enquête. De plus, il avait déjà devant lui un long voyage en avion et il se serait volontiers passé d'une escale supplémentaire.

– Tout simplement parce que ce qu'il a à te dire est confidentiel, lui avait répondu son ami. Et, je te rappelle que ce gars-là travaille pour le CST et qu'il est donc très bien placé pour savoir que communications téléphoniques et confidentialité ne vont pas nécessairement de pair.

– Oui, je sais. J'ai lu quelque part que cet organisme est en mesure d'espionner virtuellement n'importe quelle conversation téléphonique. Ils ont, paraît-il, un équipement informatique ultra-performant permettant d'éplucher automatiquement d'innombrables conversations à la vitesse de l'éclair, à la recherche de certains mots-clés ou empreintes vocales. Bien sûr, sécurité nationale oblige…

– Tu comprends alors pourquoi le type en question tient à te parler de vive voix. Je te rappelle qu'il n'était pas autorisé à nous confier les renseignements qu'il nous a donnés. Je crois vraiment que tu ferais bien d'aller le rencontrer, insista le policier.

– Ce que je ne comprends pas, c'est son extrême prudence. Pourquoi craindrait-il que ses confrères soient témoins de notre conversation ? s'interrogea Francis. Pourquoi le surveilleraient-ils, lui ?

– Nous savons bien tous les deux qu'il ne t'a rien transmis d'ultraconfidentiel, mais les organismes du genre du CST sont très pointilleux en ce qui concerne les informations confiées à des tiers. Ce type a pris des risques pour te rendre service, alors le moins que tu puisses faire pour le remercier serait bien d'aller écouter ce qu'il a encore à te communiquer.

Ces arguments eurent raison de la réticence du détective privé et c'est pourquoi il s'envola pour Ottawa en début de soirée. Le vol Québec-Ottawa fut sans histoire et de courte durée. À Ottawa, un taxi le conduisit de l'aéroport à l'hôtel Radisson, situé dans le centre-ville.

Lorsqu'il s'inscrivit à l'hôtel, la réceptionniste lui remit une enveloppe scellée que quelqu'un, lui dit-elle, avait déposée pour lui un peu plus tôt dans la journée. Une fois installé dans sa chambre, Francis ouvrit l'enveloppe et y découvrit des instructions à suivre concernant le rendez-vous qu'il avait, le lendemain en milieu de matinée, avec le type du Centre de sécurité des télécommunications. « Décidément, ce gars-là aime beaucoup jouer aux espions », se dit Francis.

⁑

Le lendemain matin, après avoir avalé un copieux et savoureux déjeuner au café Toulouse, un café style français, à l'atmosphère feutrée et chic, situé au rez-de-chaussée de l'hôtel, il partit pour son rendez-vous à bord d'une automobile louée qu'il avait pris la précaution de faire réserver par Marie-Andrée. Suivant les instructions reçues, il partit vers l'ouest, empruntant la promenade de la rivière des Outaouais. Le bleu du ciel était à peine masqué par quelques cumulus. Tout en conduisant, il pouvait voir sur sa droite, le magnifique spectacle de la large rivière s'écoulant dans la direction d'où il venait. Il n'eut pas à rouler longtemps avant d'apercevoir une pancarte de signalisation indiquant « Rapide Remic ».

Il tourna à droite sur l'allée asphaltée prenant naissance juste devant la pancarte. Contournant un bosquet d'arbres, l'allée en question se prolongeait sur quelques centaines de mètres tout en tournant vers la gauche jusqu'à devenir parallèle à la rivière. Elle se terminait en s'élargissant pour former une aire de stationnement en forme de ruban incurvé dont la partie convexe se trouvait du côté du cours d'eau et où une cinquantaine de véhicules pouvaient stationner parallèlement les uns aux autres. Francis rangea son auto dans un emplacement où les espaces immédiatement à sa gauche et à sa droite étaient libres. Selon les instructions reçues, il devait attendre à cet endroit jusqu'à ce que son contact se présente. Pendant son attente, il pouvait à loisir jouir du superbe paysage qu'il avait devant lui. La rivière des Outaouais étant large et peu profonde, des rapides en provoquaient le moutonnement de la surface.

Tandis qu'il attendait ainsi, ses glaces étant baissées, il entendit à quelques reprises des stridulations de cigales. Tiens, serait-ce un été à cigales ? se demanda-t-il. Il avait, en effet, déjà entendu dire, et il avait d'ailleurs eu l'occasion de le remarquer lui-même, que les populations de cigales ont tendance à suivre un cycle de quelques années. Il avait déjà entendu appeler « été à cigales » celui où la population culmine et où on peut donc entendre très fréquemment le bruit que ces insectes – les mâles seulement, paraît-il – produisent en faisant vibrer des muscles spécialisés de leur thorax devant une cavité de résonance dont ils sont pourvus.

Sortant de ses réflexions entomologiques, Francis remarqua que, vers sa droite, plusieurs figures avaient été créées par l'empilement de roches les unes sur les autres dans le lit de la rivière, près de la berge. Quelqu'un avait, pour ainsi dire, créé une tribu de mini-inukshuks[9], ces « hommes de pierres » érigés par les Inuit dans le Grand-Nord canadien. Le détective privé sortit de sa voiture et s'approcha de la rivière pour mieux voir l'attroupement d'« hommes de pierre ». Il regarda le spectacle pendant un moment puis, une pancarte plantée à proximité attira son attention. Le texte qui y figurait disait :

Rivière des Outaouais

L'Outaouais est un chaînon de la plus ancienne voie transcanadienne, celle du canot qui remontait jusqu'au lac Athabasca et aux Rocheuses, par les lacs Nipissing, Supérieur et Winnipeg et le fleuve Churchill. Ici passèrent nombre d'explorateurs, entre autres Brûlé, Champlain, la Vérendrye, Mackenzie, Thompson, Fraser, ainsi que Récollets et Jésuites en route pour la Huronie. Empruntèrent aussi l'Outaouais les coureurs des bois et les pelletiers en canots de maître, familiers des « pays d'en haut ».

Commission de la capitale nationale (1964)

9. *Inukshuk* est un mot inuit qui signifie « homme de pierres qui indique le chemin ». Les *inuksuit* (la forme plurielle de *inukshuk*) sont des cairns de pierres que les Inuit ont érigés à des endroits proéminents partout dans l'Arctique. Ils servent de points de repère ou de balises pour indiquer le meilleur parcours à emprunter pour retourner chez soi, une cache de vivres ou de ravitaillement, ou encore un bon coin de chasse. Un *inukshuk* peut aussi fournir un lien spirituel entre le présent et le passé. (Musée de la nature, Ottawa)

Tandis qu'il lisait l'inscription, il entendit un bruit de moteur qui se rapprochait. Il se retourna et vit quelqu'un stationner son automobile juste à côté du véhicule loué qu'il avait laissé dans le stationnement. Le conducteur descendit de voiture en regardant dans la direction de Francis et se dirigea immédiatement vers lui sans manifester la moindre hésitation. C'était un homme de stature moyenne aux cheveux châtains et portant moustache.

– Bonjour monsieur Bastien, dit-il en s'immobilisant à deux pas du détective privé.

Francis ne feignit pas la surprise et ne demanda pas à l'homme comment il l'avait identifié. Après tout, il était lui-même détective et il connaissait les précautions que les gens du métier se font une règle de prendre. La veille, l'homme avait dû assister à son arrivée à l'aéroport ou, plus probablement encore, il était tout simplement présent lorsqu'il s'est inscrit à l'hôtel. Il lui était alors très facile d'identifier Francis avec certitude lorsque la réceptionniste lui avait remis le message qui lui était destiné.

– Bonjour monsieur... ? demanda Francis voulant savoir le nom de son interlocuteur.

– Je m'appelle Marc, dit celui-ci.

– Marc qui ?

– Marc tout court, pour le moment.

– Mes parents m'ont toujours recommandé de ne pas parler à des inconnus, surtout lorsqu'il s'agit d'hommes à l'allure louche, plaisanta Francis.

– Vous avez le sens de l'humour bien aiguisé à ce que je vois. Cela correspond effectivement à ce que j'avais appris à votre sujet, monsieur Bastien. Vous allez cependant devoir oublier les sages conseils de vos parents pour aujourd'hui, j'en ai bien peur.

Francis abandonna la partie, l'homme pouvait très bien, de toute façon, lui donner un faux nom. D'ailleurs, rien ne pouvait lui assurer que Marc était son véritable prénom.

– D'accord Marc, ainsi tu travailles pour le très secret et très bien informé Centre de sécurité des télécommunications.

– C'est exact.

– Pourquoi désirais-tu que je vienne te rencontrer ici ? Qu'as-tu à me dire ?

– D'abord, que je crois que tu t'aventures dans une affaire de grande envergure qui dépasse tes compétences et tes moyens d'action et que tu ferais peut-être bien de reconsidérer ta décision de te rendre à Singapour.

– Voyons, je suis déjà parti. Mon détour par Ottawa n'est qu'une étape en cours de route. De quoi aurais-je l'air auprès de ma cliente ? D'ailleurs, je dois dire que le fait que l'enquête s'avère beaucoup plus complexe et intéressante qu'elle n'en avait l'air au début est justement la principale raison pour laquelle je n'ai nullement envie de tout laisser tomber.

– Très bien, mais nous t'aurons prévenu : tu vas, de toute évidence courir de grands risques là-bas.

– Nous ? Je croyais que tu t'adressais à moi de façon officieuse, du moins c'est ce qu'on m'avait dit.

– C'était avant que j'apprenne ce qui t'est arrivé dernièrement à Québec, au Parc de la chute Montmorency. J'ai alors compris que l'affaire est très sérieuse et j'en ai référé à mes supérieurs.

– En leur disant que tu m'avais fourni des renseignements en douce ?

– À vrai dire, pas tout à fait.

– Je m'en doutais un peu, figure-toi.

– Je leur ai plutôt dit que j'avais découvert quelque chose de louche par hasard en travaillant sur les courriers électroniques interceptés. D'ailleurs, c'est en partie vrai puisque, après avoir fourni les renseignements qui t'étaient destinés au copain qui m'a contacté de ta part, j'ai effectué quelques recherches qui m'ont permis de découvrir des choses très troublantes. J'ai ainsi découvert que plusieurs jeunes adeptes des jeux électroniques vivant dans différents pays et ayant déjà tous communiqué avec le site Internet de Singapour qui t'intéresse ont été assassinés ces dernières années. Il y a donc eu un certain nombre de cas similaires à celui de Stefan Varady.

– J'avais fait la même découverte, sauf que j'ignorais que les victimes avaient été toutes en contact avec le maître de jeu, comme se désigne celui qui est derrière le site Internet dont tu parles. Ce que tu viens de me dire confirme donc le bien-fondé de mon voyage à Singapour.

– Cela confirme aussi et surtout les dangers de l'affaire. D'autant que, de concert avec les Américains, nous avons déjà demandé à quelqu'un de Singapour de faire une petite enquête pour nous. Comme toi, notre type était un détective privé. Il avait déjà travaillé à la pige à quelques reprises pour le FBI et était loin d'être un novice.

– Était ?

– Oui, son corps a été retrouvé dans une ruelle de Singapour, il y a à peine deux jours, avant même, en fait, qu'il nous ait transmis la moindre information.

– Je vois, raison supplémentaire donc de renoncer à poursuivre mon enquête là-bas, n'est-ce pas ?

– Je voulais tout simplement que tu saches à quoi t'en tenir. Quant à savoir si tu vas poursuivre ton enquête ou non, je pense que tu es assez grand pour le décider toi-même. Mes patrons et leurs confrères du SCRS [10], avec lesquels nous travaillons en étroite collaboration sur cette affaire, préfèrent d'ailleurs que tu continues, t'avouerai-je. Plutôt cyniquement à mon avis, ils se disent que tu pourras éventuellement découvrir des choses intéressantes sans que tu ne leur coûtes rien et sans courir le risque de perdre un agent. Et

---

10. Service canadien du renseignement de sécurité.

en plus, si tu crées des problèmes là-bas, ils pourront affirmer, et sans mentir pour une fois, que tu ne travailles pas pour eux.

– Je dois dire que leur raisonnement est parfaitement sensé. Je ne crois pas que je devrais m'en offusquer. Mais, j'y pense, quelle est la raison que tu leur as donnée pour avoir pris contact avec moi ?

– J'ai dit que j'avais découvert qu'on avait communiqué avec le site suspect à partir de ton ordinateur, ce qui est rigoureusement exact.

– C'est vrai, un ami de Stefan Varady m'a fait une démonstration de jeu ultime à partir de l'ordinateur qui se trouve dans mon bureau.

– Ah bon. Quoi qu'il en soit, on m'a chargé de te dire, au cas où tu prendrais la décision de poursuivre ton enquête, que nous allons te faire appuyer par quelqu'un là-bas. Nous avons embauché un autre détective privé singapourien qui va te contacter à ton arrivée à l'aéroport.

– Je n'en ai pas du tout besoin.

– Voyons Francis, sois raisonnable. Tu ne connais personne à Singapour. Sans l'aide de quelqu'un de l'endroit, tes chances de découvrir quoi que ce soit au sujet de la mort du jeune Varady sont infimes. Et, si jamais il t'arrivait de découvrir quelque chose d'intéressant, tes chances de revenir vivant sont du même ordre.

– J'ai la nette impression que ce sont plus les informations que je pourrais découvrir que mon sort qui vous inquiètent, toi et tes patrons.

– Nous ne sommes pas indifférents à ton sort. Mort, tu ne nous serais pas d'une grande utilité, sans compter le lot de travail que ta mort à Singapour occasionnerait à notre personnel diplomatique là-bas. Rapatrier un corps entraîne des formalités dont tu n'as pas idée.

– Vu sous cet angle, je m'en voudrais éternellement de surcharger de travail ces pauvres fonctionnaires qui n'y sont pas du tout habitués. D'autant que je craindrais de tomber sur quelque gratte-papier pointilleux qui s'éterniserait à remplir des formulaires en me laissant faisander outre mesure.

– Bon, je savais bien que nous finirions par nous entendre. Maintenant, avant de nous quitter, j'aimerais savoir si tu es venu ici seul. Je pense par exemple que tu aurais pu te méfier de moi et te faire suivre par quelqu'un afin d'assurer ta protection en restant un peu en retrait. Si tel était le cas, je ne le prendrais pas mal, sois-en assuré. Je sais que tu as été quelque peu malmené ces derniers temps et je comprends très bien qu'il y a là de quoi devenir méfiant. On le deviendrait à moins.

– Pas du tout, je suis venu ici absolument seul. Mais si je te comprends bien, j'ai été suivi par quelqu'un qui ne fait pas partie de ta bande de petits camarades de jeu.

– Tu as tout compris. Tu as été suivi par un homme seul que mes petits camarades de jeu, comme tu dis, ont repéré. Si tu regardes discrètement derrière moi, un peu sur ma gauche, tu verras le type en question au volant d'une berline bleue stationnée à une trentaine de mètres d'ici.

Francis s'inclina lentement sur sa droite et tourna légèrement la tête de façon à regarder dans la direction indiquée. Il vit en effet une automobile bleue à peu près à la distance donnée par l'agent du CST. Il constata qu'il y avait effectivement un homme au volant et juste comme il croisait le regard de celui-ci, il le reconnut.

– Eh ! c'est le type qui m'a suivi pendant quelques jours à Québec, déclara-t-il, surpris. D'ailleurs, je suis à peu près certain que c'est lui qui a transformé mon auto en passoire et qui aurait bien aimé me faire subir le même sort.

– Dans ce cas, il serait intéressant d'avoir une conversation avec lui, dit l'agent du CST.

Il sortit son téléphone portatif de l'étui passé à sa ceinture et composa un numéro.

– Notre homme est un ennemi, dit-il. J'aimerais lui dire un mot, alors invitez-le à nous accompagner. Soyez prudents, il est probablement armé.

L'homme mystérieux dont il était question n'était pas resté là à attendre. Dès que son regard avait croisé celui de Francis, il s'était su reconnu. Il avait immédiatement mis son auto en marche et avait accéléré au maximum dans un crissement de pneus pour s'engager dans l'allée menant à la promenade des Outaouais.

Déjà, cependant, une auto arrivant en sens inverse se laissait déraper de côté dans l'allée relativement étroite de façon à bloquer l'issue au véhicule cherchant à s'enfuir. Celui-ci réagit en escaladant la chaîne de rue dans un bruit d'enjoliveurs tombant sur la chaussée en roulant. Il poursuivit sa course sur le terre-plein jusqu'à rejoindre la voie de la Promenade des Outaouais menant vers l'ouest.

Il s'y engagea en coupant la route à une autre automobile dont le conducteur poussa de furieux coups de klaxon en freinant au maximum. Sans s'en préoccuper, le fuyard continua sur sa lancée. Il ne tarda pas à constater qu'un autre véhicule s'était lancé à ses trousses.

Il arrivait à proximité de l'étroit pont Champlain traversant la rivière des Outaouais en direction du Québec. À cause des travaux de réfection en cours, la voie carrossable était très étroite. Alors qu'il ne pouvait pas voir si le chemin était libre, le fuyard risqua un dangereux dépassement dans une courbe du pont au moment où une automobile apparaissait en sens inverse. Surpris, le conducteur de celle-ci freina brusquement, ce qui permit au type poursuivi de compléter sa dangereuse manœuvre et de poursuivre sa course à toute vitesse.

Quant au véhicule des poursuivants, il s'était retrouvé coincé derrière l'automobile dépassée par le fuyard. Celle-ci roulait à vitesse réduite et les coups de klaxon et appels de phares des poursuivants pour inciter la conductrice à accélérer n'eurent aucun effet.

À cause de l'étroitesse de la chaussée libre, elle ne pouvait même pas se ranger pour laisser passer le véhicule qui la suivait et dont elle trouvait le conducteur vraiment très impatient. Elle ne pouvait se douter qu'elle était talonnée par deux agents du SCRS à la poursuite d'un suspect.

Les agents en question s'impatientaient de plus en plus car, en sens inverse, défilait une suite ininterrompue de véhicules rendant tout dépassement impossible. Par-dessus le marché, en arrivant près de l'extrémité québécoise du pont, ils se trouvèrent immobilisés derrière une file de véhicules attendant que le feu de circulation tourne au vert si bien que, quand ils atteignirent le boulevard Alexandre-Taché, une artère s'étirant parallèlement à la rivière des Outaouais, ils avaient perdu toute trace du véhicule du fuyard.

Ils furent donc contraints d'informer l'agent du CST qui se trouvait avec Francis Bastien que leur poursuite avait tourné court.

– Quoi ? fit celui-ci, d'une voix où la colère se percevait très nettement. Et je croyais que vous, les gens du SCRS, aviez insisté pour participer à cette opération parce que, soi-disant, vous aviez plus d'expérience pratique et étiez donc plus efficaces « sur le terrain » que nous, les gratte-papier du CST, comme vous vous plaisez à nous appeler. Je n'ai vraiment pas de félicitations à vous faire, sachez-le.

– Merde, dit le type du SCRS en coupant la communication rageusement. Ces gratte-papier du CST ne comprennent rien aux aléas des opérations sur le terrain, poursuivit-il à l'adresse de son coéquipier.

– J'ai bien peur que le patron ne sera pas vraiment plus compréhensif, répondit l'autre. Il va être furieux d'avoir, à cause de notre échec, à se faire narguer par les manitous du CST qui ne manqueront pas une si belle occasion. Que nous ayons fait tout ce que nous avons pu ne changera rien à la situation et le patron n'en aura que faire.

– Je sais, fit le premier, c'est bien ce qui m'enrage. Et, de dépit, il frappa le tableau de bord en jurant.

⁑

Pendant ce temps, au rapide Remic, à la réaction de l'agent du CST, Francis avait compris ce qui s'était passé. Le détective privé réagit à la nouvelle par un rire sonore qui figea son vis-à-vis.

– C'est toi Marc qui me disais que j'aurais besoin de l'aide de professionnels disposant d'importants moyens à Singapour, ou quelque chose du genre. Bravo pour les professionnels bien équipés que vous êtes ! se moqua-t-il.

Ses paroles portèrent, car la voix de Marc se fit glaciale lorsqu'il répondit :

– Puisque tu es toi-même détective, tu devrais savoir que les opérations les mieux préparées et impliquant les hommes les mieux entraînés peuvent toujours échouer pour un détail insignifiant qui était tout à fait imprévisible. À plus forte raison, cela peut donc très bien se produire lors d'opérations de petite envergure que l'on prévoit sans histoires, comme celle-ci. Je te dirai que malgré qu'il était jugé fort peu probable que quelqu'un te suive ici à Ottawa, des précautions avaient quand même été prises afin de détecter si cela se produisait. Celui qui te suivait a eu de la chance, voilà tout. Tout cela devrait te faire prendre conscience de la précarité d'une enquête menée à l'étranger par un homme seul.

Francis partit à nouveau à rire, ce qui parut déconcerter encore plus l'homme du CST.

– Je sais très bien tout cela, tu as raison. Et finalement, j'apprécie vraiment l'appui que vous m'offrez, toi et tes confrères. Je te fais tout simplement marcher, dit le détective privé en esquissant un clin d'œil.

– Si je comprends bien, tu te payes ma tête, fit l'autre.

– Disons que j'essayais tout simplement de détendre l'atmosphère. C'est que tu semblais très en colère que tes copains aient perdu la trace de l'autre pirate.

– Très bien, je veux bien accepter tes excuses.

– Il ne s'agissait pas du tout d'excuses. Ne rêve pas mon lapin, dit Francis en piquant à nouveau un clin d'œil. Nous nous amusons beaucoup, mais il va maintenant quand même falloir que je te quitte, car je te rappelle que j'ai un avion à prendre pour l'Asie du Sud-Est.

Il se dirigea vers son auto de location, mit en marche et, avant de partir, lança :

– Au fait, comment s'appelle celui qui va me venir en aide là-bas ?

– Son nom n'a pas d'importance, c'est lui qui va te contacter, cria l'homme du CST tandis que Francis commençait à rouler en saluant de la main.

Chapitre 9
Dans la Cité du Lion

Francis en était arrivé à la dernière étape de son voyage vers Singapour. Jusque-là tout s'était très bien déroulé. Une courte envolée l'avait d'abord conduit d'Ottawa à l'aéroport Kennedy. À New York, il était monté à bord d'un Airbus A340 de Lufthansa qui l'avait mené à Francfort en toute quiétude. D'Allemagne, il s'était finalement envolé vers Singapour dans un Boeing 747 de Singapore Airlines. Au cours de cette ultime étape, les choses s'étaient un peu gâtées. Le service et le confort étaient aussi bons que lors des autres étapes, mais il s'était tout simplement retrouvé coincé entre la paroi de l'avion et un gros homme devant peser près de cent cinquante kilos et débordant de son siège de toutes parts. Les grosses joues de l'homme étaient très rouges et ses cheveux noirs, courts et gominés étaient peignés vers l'arrière. L'homme soufflait comme un phoque et sentait la transpiration.

Ce vol avait donc été plutôt éprouvant pour Francis. Son encombrant voisin avait bien, à un moment donné, tenté d'établir la conversation, mais le détective privé avait coupé court à celle-ci. Par les quelques phrases échangées, avait-il néanmoins eu le temps d'apprendre que l'homme, un fonctionnaire du gouvernement canadien, se rendait à Singapour pour participer à un quelconque congrès.

– L'ordre et la propreté sont de première importance aux yeux des autorités à Singapour, avait également appris l'homme à Francis au cours de leur brève conversation. Par exemple, savez-vous qu'il y est interdit d'importer, de vendre ou de posséder de la gomme à mâcher afin que les lieux publics n'en soient pas souillés?

– Je l'ignorais, avait dit Francis, continuant à répondre laconiquement comme il l'avait fait tout au long de la conversation.

– Il y est également interdit de jeter des déchets par terre et cela est sévèrement réprimé. Pour une première offense, on peut se voir infliger une amende allant jusqu'à mille dollars. Mille dollars de Singapour, bien entendu, avait précisé le gros homme, en faisant un clin d'œil. Cela correspond tout de même à environ neuf cents dollars canadiens. Pour une seconde offense, l'amende peut grimper jusqu'à deux mille dollars. Et pour les récidivistes récalcitrants, l'amende peut même être assortie de quelques heures de travaux communautaires obligatoires, ces travaux consistant à nettoyer des endroits publics en portant une tunique voyante et bien identifiable. Parfois, paraît-il, les autorités vont jusqu'à inviter les médias locaux à couvrir le spectacle public, l'idée étant bien sûr d'humilier ces récalcitrants afin de les guérir pour de bon de leur mauvaise habitude.

– Très intéressant, avait commenté Francis d'un ton qui signifiait tout à fait le contraire. Et qu'est-ce qu'on fait aux trafiquants de drogues? Sont-ils écartelés ou empalés sur la place publique?

Le gros homme avait alors éclaté de rire.

– Vous êtes très drôle, vous alors. Ils sont effectivement condamnés à mort, bien que je ne croie pas que la peine soit appliquée par écartèlement ou par empalement, mais sait-on jamais, continua-t-il en terminant sa phrase par un nouveau clin d'œil voulant sans doute signifier qu'il blaguait lui aussi.

– Je me le tiens pour dit, fit Francis.

Son voisin y alla à nouveau d'un rire gras.

– Vous alors… Vous êtes un véritable pince-sans-rire, déclara-t-il, après son accès d'hilarité.

– On me l'a déjà dit régulièrement, avoua Francis. Et il saisit une brochure se trouvant dans la pochette fixée au dos du siège situé devant lui. Il ouvrit la brochure et fit mine de s'y intéresser au plus haut point, avec l'intention évidente de mettre un terme à la conversation.

S'il feignit de lire avec intérêt au début, il ne tarda cependant pas à se prendre au jeu. C'est que la brochure qu'il avait en mains traitait de voyages et qu'elle comptait notamment un reportage bien étoffé sur Singapour. Il put donc apprendre d'autres détails intéressants sur l'état insulaire qui était sa destination, sans pour cela être obligé de subir la conversation de son incommodant voisin.

Il apprit notamment que, selon un texte malais datant du treizième siècle, Singapour tire son nom du fait qu'un prince y ayant aperçu un animal qu'il croyait être un lion – et qui était vraisemblablement plutôt un tigre – appela l'endroit Singa-pura, ce qui, en sanskrit, signifie « ville du lion ». C'est donc pour cette même raison que l'emblème de Singapour est une fière tête de lion de couleur rouge sur fond blanc.

En ce qui concerne la population, d'après la brochure, c'est un véritable melting-pot. Francis apprit qu'environ 3 millions et demi de personnes vivent à Singapour et que la densité y est très élevée. Plus de 77 pour cent de la population est d'origine chinoise, mais nombreux sont les Singapouriens d'origine malaise, indienne ou autre. Le brassage ethnique y a été très efficace puisque, semble-t-il, il n'est pas surprenant de rencontrer quelqu'un de descendance hollandaise ou portugaise. Détail intéressant relatif à la population, la brochure précisait que le nom le plus répandu parmi les Singapouriens d'origine chinoise est Tan. Dix pour cent d'entre eux ont ce patronyme. Lim est un nom de famille également très répandu parmi les Chinois de Singapour puisqu'il est porté par sept pour cent de cette population.

Du côté des religions, la diversité est encore plus grande, puisque la principale – le bouddhisme – est pratiquée par à peine trente-deux pour cent des habitants de Singapour et que trois autres religions – le thaoisme, l'islamisme et le christianisme – sont pratiquées par des fractions importantes de la population. Malgré un tel clivage au niveau des croyances, Francis ne se rappelait pas avoir déjà entendu parler de troubles religieux à Singapour. Il en conclut donc que l'esprit de tolérance devait y être relativement bien ancré dans les moeurs.

Il est vrai que les habitants de ce prospère état semblent s'intéresser bien davantage aux affaires qu'à la religion. C'est ce qui a sans doute permis à Singapour de se hisser au cinquième rang dans le monde en 1995 en ce qui concerne le produit national brut par habitant. La crise financière qui s'est abattue par la suite sur l'Asie a sans doute quelque peu affecté ce succès impressionnant. Il n'en reste pas moins que Singapour demeure toujours une importante puissance économique.

Au point de vue historique, la brochure donnait relativement peu d'informations. C'est probablement dû au fait que l'histoire de l'état insulaire semble avoir été généralement peu mouvementée. Les Britanniques s'y sont installés assez tard, à l'échelle de leur aventure coloniale. Ce n'est qu'en 1819 que Sir Stamford Raffles vint y établir un poste commercial. La domination de la Grande-Bretagne sur la région fut rapidement assurée grâce à la signature de traités avec le sultan de Johore et le *temenggong* local, qui assumaient respectivement l'autorité légale et de facto sur Singapour. Par ailleurs, la Hollande, principale autre puissance coloniale présente dans la région, reconnaissait la férule britannique sur Singapour par un autre traité signé en 1824.

La petite colonie britannique connut donc une relativement longue « période de paix et de prospérité », comme le disait la brochure. Cela dura en fait jusqu'aux petites heures du matin, le 8 décembre 1941. C'est ce jour-là, en effet, que cette période d'histoire sans histoires se termina brutalement pour Singapour et ses habitants, lorsque les avions japonais bombardèrent la ville pour la première fois. C'était le début des opérations militaires japonaises pour s'emparer de la petite colonie. Celle-ci tomba finalement entre les mains des envahisseurs le 15 février 1942 et y resta jusqu'à la fin de la Deuxième Guerre mondiale.

L'occupation japonaise avait cependant démontré que l'autorité d'Albion sur Singapour n'était pas tout à fait incontestable. La volonté d'autodétermination des Singapouriens s'affirma donc au cours des années suivantes et conduisit, par étapes, à l'indépendance en 1959. Après une brève fusion avec la Malaisie, de 1963 à 1965, Singapour reprit son indépendance.

– Désolé de vous interrompre mon vieux, votre lecture semble intéressante, mais nous arrivons à destination et il va falloir attacher votre ceinture de sécurité.

Les paroles de son voisin avaient tiré Francis de sa lecture. En effet, une hôtesse donnait les consignes de sécurité pour l'atterrissage et il ne s'en était pas rendu compte, absorbé qu'il était. Il se sentait de plus en plus fasciné et intrigué par ce pays et il était heureux d'en avoir appris un peu plus à son sujet grâce à la brochure qu'il venait de consulter. Se sentant tardivement un peu coupable de s'être montré désagréable avec son voisin, Francis dit :

– Vous semblez vous y connaître sur Singapour. Y êtes-vous déjà allé ?

– Je m'y rends pour la quatrième fois. J'ai participé à deux autres reprises à des congrès. J'avais alors tellement aimé l'endroit que je suis allé y passer deux semaines de vacances, il y a deux ans. J'ai alors visité plusieurs sites, comme la mosquée du Sultan, le jardin des orchidées de Mandai, la réserve naturelle de Bukit Timah, le jardin du Baume du Tigre, le jardin botanique, le parc ornithologique de Jurong, le marché des Voleurs et la ferme d'élevage de crocodiles. Cela a été très intéressant, mais l'atmosphère chaude et humide qui règne généralement à Singapour est très difficile à supporter pour une personne de ma corpulence. Lorsque je m'y rends pour des raisons professionnelles, je passe pratiquement tout mon temps dans des salles de conférence ou à l'hôtel. La climatisation rend ces endroits confortables.

– Je vois. J'espère que vous avez quand même apprécié vos vacances. Tous ces endroits dont vous parlez me semblent fascinants. Je regrette d'aller à Singapour pour affaires, car j'aurais bien aimé avoir le temps de les visiter. Peut-être aurai-je le temps d'en voir quelques-uns malgré tout.

– Si jamais vous en avez le temps, je vous recommanderais de visiter le parc ornithologique ou le jardin botanique qui sont tous deux des sites très attrayants. Vous dites que vous vous rendez à Singapour pour affaires, dans quel domaine êtes-vous ?

– Je m'y rends faire de la prospection pour la compagnie de production et de distribution de logiciels financiers pour laquelle je travaille. Nous envisageons d'ouvrir un bureau à Singapour et je m'y rends en éclaireur, mentit Francis, espérant que son interlocuteur ne s'y connaisse pas trop en informatique et ne lui pose pas de questions trop pointues à ce sujet.

Il était de toute façon trop tard pour cela puisque, l'avion maintenant posé et immobilisé, le gros homme se levait et disait :

– Vous pouvez vous vanter de m'avoir bien fait rire avec vos blagues de pince-sans-rire. Je vous souhaite un excellent séjour à Singapour. Mais j'y pense, nous ne nous sommes pas encore présentés. Je m'appelle John Cayer et je m'installe à l'hôtel Raffles pour les cinq prochains jours. Si je peux vous être utile en quoi que ce soit, n'hésitez pas à me contacter. Cela me ferait grand plaisir de pouvoir vous rendre service.

– Je m'appelle Francis Bastien, répondit Francis, négligeant d'indiquer l'hôtel où il descendait, tout simplement parce qu'il avait l'habitude de donner le moins d'informations possible sur sa personne, en particulier aux inconnus rencontrés par hasard. Il faut bien avouer que, dans ce cas-ci, c'était une précaution plutôt inutile puisque quiconque voulant bien s'en donner la peine pouvait découvrir sans grande difficulté et en peu de temps où il allait habiter au cours de son séjour dans la Cité du Lion. Ce n'était toutefois pas le moment de se questionner sur ses automatismes de détective privé, et il poursuivait ainsi sa réponse à son compagnon de voyage :

– Vous êtes très aimable, mais je crois que je vais pouvoir me débrouiller. D'ailleurs, vous allez certainement être très accaparé par votre congrès.

– Oh vous savez, ces congrès sont tous les mêmes et deviennent rapidement ennuyeux lorsque, comme moi, l'on a participé à un certain nombre d'entre eux. Je peux donc facilement me libérer, et avec grand plaisir, croyez-moi, lorsqu'il est question de donner un coup de main à un compatriote. Alors n'hésitez pas à me contacter au besoin. Et surtout, si vous en avez l'occasion, n'oubliez pas de visiter le parc ornithologique et le jardin botanique, conclut l'homme, avant de se diriger vers la sortie d'une démarche relativement souple compte tenu de son poids et de son gabarit. Après quelques pas, il se retourna et lança en pointant Francis du doigt :

– Bonne chance dans votre mission!

– Quelle mission? fit Francis, un peu surpris.

– Votre recherche de clients éventuels pour vos logiciels financiers, quoi d'autre?

– Bien sûr, où avais-je la tête? répondit Francis, qui commençait à s'interroger au sujet de cet homme.

Celui-ci salua de la main, se retourna et continua sa route suivi par d'autres passagers. Francis le perdit donc de vue avant de se lever à son tour. Il ne tenait pas à prolonger son entretien avec son voisin de parcours. Il s'arrangea donc pour ne pas se retrouver près de lui dans le véhicule de transit qui les amena jusqu'à la très moderne et très animée aérogare.

Lorsque les formalités douanières furent complétées, le détective privé ne tarda pas à repérer le carrousel à bagages et s'y dirigea immédiatement. Il attendait sa valise depuis quelques minutes déjà lorsqu'il constata que le gros homme qu'il avait eu pour voisin dans l'avion, se trouvait à peu près en face de lui, de l'autre côté du carrousel. L'homme le regardait et le salua de la main quand il constata que Francis l'avait vu. Celui-ci lui répondit d'un geste bref. Il venait juste d'apercevoir sa valise approcher et s'en empara vivement. Il s'éloigna aussitôt du carrousel et de la foule bigarrée qui s'était agglutinée autour. Il lui fallait maintenant repérer la sortie de l'aérogare. Il y trouverait certainement un taxi qui l'amènerait à son hôtel. En arrivant en zone plus dégagée, il se retrouva nez à nez avec un homme au faciès chinois, qui le dévisageait.

– Je vous attendais, monsieur Bastien, dit-il. Je m'appelle Sunny Thong.

– Vous ne vous appelez ni Tan ni Lim ? répondit Francis. Savez-vous que vous vous amusez à défier la loi des probabilités ? Seriez-vous un original par hasard ? Non que j'y verrais un quelconque inconvénient, car j'avoue avoir tendance à plutôt bien m'entendre avec les originaux.

– À ce que je vois, vous vous êtes renseigné sur mon pays, fit l'homme.

– J'ai à peine lu une brochure touristique au cours du vol qui m'amenait et j'ai bénéficié de quelques informations supplémentaires gracieusement offertes par un voisin de parcours.

– Ah bon, c'est tout ce que vous avez comme bagage ? demanda l'homme, en désignant la valise qui pendait au bout du bras de Francis.

– J'ai comme habitude de voyager léger, répondit celui-ci.

– J'enregistre, fit l'Asiatique.

– Qu'est-ce que vous enregistrez ?

– Que vous voyagez avec légèreté.

– Vous voulez dire que vous le constatez.

– Oui, j'enregistre.

– Bon d'accord, enregistrez tout ce que vous voulez, mais ne jetez pas le ruban. Et pendant que vous y êtes, enregistrez que je voyage léger, non avec légèreté. À vrai dire, ce voyage est tout ce qu'il y a de sérieux.

L'homme regarda Francis d'un air interrogateur pendant un moment puis, constatant que celui-ci ne donnait pas d'explication supplémentaire, il dit :

– Allons, suivez-moi. Nous prendrons un taxi pour nous rendre à votre hôtel, le Métropole, si mes sources sont bonnes.

– Vos sources me semblent tout à fait fiables. Je vois que vous êtes bien renseigné vous aussi.

– Vous connaissez le métier et savez quelles sont ses exigences.

Alors qu'il marchait côte à côte avec Sunny Thong, Francis demanda :

– Ainsi, c'est vous le collaborateur que les gens du CST m'ont déniché.

– Oui, les gens dont vous parlez veulent que vous travailliez avec moi.

– Ce n'est pas tout à fait ce que je viens de dire, et ce n'est pas non plus ce que mon contact du CST m'a indiqué.

– Nous sommes à Singapour. Je suis chez moi et votre univers est à l'autre bout du monde. Comment pouvez-vous penser que c'est moi qui vais vous aider ?

– Parce que sinon je vais me débrouiller sans vous.

– Dans ce cas, vous allez être à une lieue derrière moi, car on me paie pour que je travaille sur le même dossier que vous et je vais continuer à le faire avec ou sans vous.

– Sans moi, vous n'aurez pas accès à toutes les informations dont je dispose, commenta Francis.

– Mes employeurs m'ont transmis un bon dossier, c'est-à-dire tout ce que vous leur avez confié. D'ailleurs, je possède moi aussi des informations de première main, croyez-moi, répondit Sunny Thong.

– Pour ce qui est des informations provenant de moi, pensez-vous vraiment que j'ai dévoilé toutes mes cartes aux gars du CST ?

Le détective oriental leva les yeux vers le ciel un moment en paraissant réfléchir, puis il dit :

– Et si nous nous aidions mutuellement ?

Francis réfléchit un instant à son tour, histoire de ne pas céder trop rapidement, puis il concéda à son tour :

– C'est d'accord.

Il était parfaitement conscient d'avoir plus besoin de Sunny Thong que celui-ci avait besoin des quelques bribes d'information qu'il pouvait ne pas avoir divulguées au CST. De toute façon, quelle importance cela avait-il de déterminer qui aidait qui ?

Il faut dire que si, en ce moment même, Francis avait aperçu l'homme qui le regardait avec attention en se dissimulant près d'une colonne située à quelque distance, il aurait été encore plus persuadé d'avoir besoin de l'aide de son confrère de Singapour. L'homme qui l'observait ainsi était celui-là même qui l'avait pris en filature dans les rues du Vieux Québec et qui l'avait ensuite suivi à Ottawa où il avait habilement réussi à échapper aux agents fédéraux. Et alors qu'il épiait maintenant encore Francis ici même à Singapour, il était accompagné d'un autre homme, aux traits chinois celui-ci, qui semblait lui aussi porter grande attention au détective privé canadien. Cet homme était grand et très mince, ce qui accentuait davantage sa taille. Il semblait être âgé d'une trentaine d'années et portait de fines lunettes aux montures métalliques. Il était très bien mis, portant de toute évidence, de coûteux vêtements. Il avait les cheveux assez longs et attachés en catogan ainsi qu'une fine moustache aux extrémités tombantes.

Mais, cela n'enlevait rien à l'air de sérieux et de respectabilité qu'il dégageait.

Probablement à cause de l'affluence et de l'activité fébrile qu'il y avait dans l'aérogare, ni Francis ni Sunny Thong n'avaient eu conscience d'être ainsi observés. Ils venaient de franchir l'entrée principale du bâtiment et, une fois à l'extérieur, Francis fut frappé par la chaleur et l'humidité ambiantes. Ces conditions, ajoutées au décalage horaire et au manque de sommeil des dernières heures, firent que le détective privé sentit une grande fatigue s'abattre soudainement sur lui telle une chape de plomb. Il fut alors finalement très heureux d'avoir été accueilli par le Singapourien, qui s'occupait justement en ce moment de héler un taxi. Il se garderait pourtant bien de le lui dire. Tandis que le véhicule approchait, l'homme dit à Francis :

– Si vous êtes d'accord, je vais vous déposer à votre hôtel afin que vous puissiez récupérer de votre voyage et nous nous reverrons demain pour faire le point.

– Tout à fait d'accord, fit Francis.

Une fois les deux hommes installés à bord, Sunny engagea, en mandarin, une conversation animée avec le chauffeur.

– Qu'est-ce que vous vous racontez ? demanda Francis, croyant que quelque chose n'allait pas.

– Je négocie tout simplement le prix de la course avec cet homme, comme c'est l'usage ici, répondit Sunny, interrompant momentanément la discussion avec son compatriote avant de la reprendre de plus belle.

Une fois le prix de la course entendu et la voiture en marche, le Singapourien demanda à Francis, à brûle-pourpoint :

– L'homme qui vous a salué près du carrousel à bagages est-il le voisin de vol dont vous avez parlé tout à l'heure ?

– C'est bien lui, en effet. En quoi cela vous intéresse-t-il ?

– Simple curiosité.

– Écoutez, j'ai à peine échangé quelques phrases avec cet homme. C'est un fonctionnaire du gouvernement canadien qui est ici pour un congrès, avait d'abord répondu Francis, irrité qu'il était de se faire ainsi rappeler les règles élémentaires de prudence par ce type. Il s'était ensuite ravisé, devant l'évidence que son confrère singapourien avait raison, et il avait continué :

– Cet homme est descendu à l'hôtel Raffles, au cas où vous voudriez vérifier ses dires ainsi que son identité. Et à bien y penser, je crois finalement que ce serait sans doute une bonne idée de le faire. Il est fort probable qu'il n'ait rien à voir avec l'affaire qui nous occupe, mais on n'est jamais trop prudent.

– Vous avez tout à fait raison là-dessus. Nous nous attaquons à forte partie et je crois moi aussi qu'il ne faut rien laisser au hasard, dans la mesure du possible bien sûr, déclara l'Asiatique.

– Nous voilà donc d'accord. Par ailleurs, si nous devons étroitement collaborer au cours des jours qui vont suivre, je suggère que nous adoptions une attitude un peu plus familière.

Nous pourrions par exemple utiliser nos prénoms pour nous adresser l'un à l'autre. D'accord Sunny?

– C'est d'accord Francis, j'enregistre.

Ils roulèrent en silence pendant quelques minutes, Francis en profitant pour examiner le paysage urbain qui s'offrait à sa vue. Il était impressionné par les gratte-ciel et les nombreux autres édifices modernes qui donnaient à Singapour, à ce qu'il pouvait en juger par ce premier coup d'œil, l'image d'une cité dynamique, prospère, moderne et résolument tournée vers l'avenir.

– Où sommes-nous, quelle est cette artère? s'enquit-il auprès de Sunny.

– C'est North Bridge Road, répondit celui-ci. Nous arrivons d'ailleurs à destination. Ton hôtel est juste là.

En effet, ils arrivaient devant l'hôtel Métropole et le chauffeur de taxi emprunta l'allée en demi-lune qui menait à l'entrée principale. En sortant du véhicule doté de climatisation, Francis eut l'impression à nouveau d'être momentanément plongé dans une étuve. Il pénétra donc avec soulagement dans le hall de l'hôtel, qui était vaste et qu'il trouva décoré avec beaucoup de goût. Sunny l'y avait accompagné et c'est à cet endroit qu'il prit congé, rappelant à Francis qu'il viendrait le chercher le lendemain matin afin qu'ils fassent le point et qu'ils entament leur travail. Ils se serrèrent la main et Sunny retourna dans l'étuve. À travers les portes vitrées de l'hôtel, Francis suivit du regard son nouveau coéquipier jusqu'à ce qu'il ait monté à bord du taxi qui l'attendait. Ensuite, il se dirigea vers le comptoir de la réception.

On lui remit une carte magnétique lui permettant d'accéder à sa chambre. Francis emboîta alors le pas à un chasseur en livrée impeccable qui transportait son unique valise. Quand le jeune homme à l'air très sérieux eut refermé la porte derrière lui, Francis se retrouva seul avec la fatigue de son voyage. Il prit rapidement une douche et s'étendit sur le lit, sans défaire les couvertures, se disant que quelques minutes de repos lui seraient salutaires avant d'aller prendre un repas au restaurant de l'hôtel. Il sombra presque aussitôt dans un profond sommeil qui devait durer bien plus longtemps que les quelques minutes qu'il croyait suffisantes pour refaire ses forces.

Chapitre 10
Le tigre blanc

La sonnerie du téléphone résonnait de façon insistante. Le détective privé émergeait lentement du profond sommeil dans lequel il était plongé depuis près de douze longues heures. Il reprenait lentement contact avec la réalité, un peu comme s'il avait pris une cuite mémorable la veille. Pourtant, il n'avait pas pris la moindre goutte d'alcool depuis plusieurs jours. Peu à peu, il se rappelait où il se trouvait et pourquoi il s'y trouvait. Il finit alors par tendre lentement la main vers le combiné du téléphone, qu'il décrocha.

– Allô, fit-il d'une voix encore ensommeillée.

– Allô, c'est bien toi Francis ? Ça me rassure d'entendre ta voix. Je m'inquiétais beaucoup à ton sujet, tu sais ? Tu avais promis de communiquer avec moi lorsque tu serais arrivé à destination. Puisque je n'avais pas encore eu de tes nouvelles, je me demandais s'il t'était arrivé quelque chose.

Francis reconnut immédiatement la voix de Sylvia et cela finit de le tirer de sa torpeur. Il se redressa immédiatement et s'assit sur le bord du lit.

– Je me suis endormi dès mon arrivée, c'est pourquoi je ne t'ai pas téléphoné. Mais ne t'inquiète pas pour moi, je connais mon métier, tu sais. Tu verras que je vais me tirer d'affaire et revenir avec de nouvelles informations, sinon avec la solution de l'énigme.

– Tu n'as pas qu'une simple énigme à résoudre, j'en suis parfaitement consciente. Tu as affaire à de dangereux criminels qui n'hésitent pas à tuer pour je ne sais quelle mystérieuse raison. C'est pourquoi je tenais à te répéter, avant que tu n'entreprennes tes démarches là-bas, que si jamais tu sens que le danger devient le moindrement important, tu dois aussitôt abandonner la partie et revenir immédiatement au pays. Je te le répète : je tiens plus à te revoir qu'à connaître la vérité au sujet de l'assassinat de mon frère.

– Je vais revenir en parfaite santé, je te le promets, car j'ai moi aussi très envie de te revoir. Je n'ai pas eu d'aussi bonne raison d'être prudent depuis très longtemps, je te l'assure.

– Vraiment ?

– Tout à fait. Je vais cependant devoir te quitter maintenant, car j'ai un rendez-vous ce matin et j'ai une faim d'ogre. Je vais donc, de ce pas, aller dévorer un déjeuner gargantuesque au restaurant de l'hôtel.

– Alors va tout de suite t'empiffrer, je raccroche. Fais attention et tiens-moi au courant.

– Très bien. À bientôt.

Francis descendit déjeuner peu après. Malgré l'heure matinale, nombreux étaient les clients déjà attablés dans la salle à manger. Les tables étaient montées avec le raffinement et le souci du détail dont les orientaux ont le secret. Ainsi, les serviettes de table étaient pliées en forme de fleur de pavot et c'est quasiment avec regret que Francis déplia celle qui était déposée devant. Il se fit ensuite servir un très copieux déjeuner qu'il trouva savoureux.

La plupart des autres tables de la salle à manger étaient occupées par des couples ou des petits groupes de deux à quatre personnes. Francis remarqua cependant un homme attablé seul, à une table située à quelque distance de la sienne et adossée à un mur. Cet homme solitaire était de race chinoise et arborait une fine moustache aux pointes tombantes ainsi que de longs cheveux noirs et lustrés qu'il portait attachés en catogan sur la nuque. Il était vêtu d'un impeccable complet blanc complété d'une cravate de même teinte contrastant sur une chemise noire. L'homme mangeait lentement et avec application, sans sembler s'intéresser à qui que ce soit ou à quoi que ce soit autour de lui. Les serveurs, par contre, lui accordaient manifestement une attention toute particulière. Ils semblaient être aux aguets de ses moindres désirs. Il lui suffisait de lever un doigt pour qu'un serveur accoure immédiatement à sa table afin de s'enquérir de ce qu'il désirait.

Francis oublia rapidement cet homme. Il devait réfléchir et il lui restait peu de temps pour ce faire, puisque Sunny Thong était certainement sur le point de venir le rejoindre. En fait, il se disait qu'il devait dresser un plan de bataille, maintenant qu'il était arrivé sur place. Le problème était que les informations dont il disposait pour le moment le menaient à une seule et unique piste. Le plan de bataille ne pouvait que se résumer à aller frapper à la porte du bureau à frais partagés où avait pignon sur rue l'entreprise à partir de laquelle le Maître de jeu opérait. Cela ne lui plaisait pas beaucoup de ne pas avoir d'alternative pour l'instant, mais il savait très bien, par expérience, que les choses évoluent parfois rapidement en cours d'enquête et que les occasions de progresser dans une affaire se présentent souvent à l'improviste.

Francis en était là dans ses réflexions lorsque Sunny Thong arriva. Il était vêtu d'une chemise de bonne coupe, à manches courtes, ainsi que d'un pantalon noir. Il se tenait debout devant la table de Francis, le regardant siroter son café.

– Mais assieds-toi, je t'en prie, proposa le détective privé canadien.

– D'accord, mais un moment seulement. Il faut nous mettre sérieusement au travail aujourd'hui.

– Je réfléchissais justement à la question.

– Puis-je savoir quelle est la conclusion de ces réflexions ? demanda Sunny.

– Eh bien tout simplement qu'il n'y a pour le moment qu'une avenue à explorer.

– Je suis heureux de constater que nous en sommes venus tous deux à la même conclusion. Alors, nous y allons ?

– Allons-y, approuva Francis, qui vida en une gorgée ce qui lui restait de café et se leva aussitôt. Si je ne m'abuse, l'entreprise qui nous intéresse s'appelle La Société du tigre blanc, poursuivait Francis, alors que les deux hommes marchaient en direction de la sortie de l'hôtel.

– C'est exact, il semblerait que le Maître de jeu se cache dans la Cité du Lion sous la robe d'un tigre blanc. En utilisant mon auto, nous serons arrivés à la tanière du fauve dans une quinzaine de minutes à peine.

En sortant de l'hôtel, Francis eut la surprise de voir Sunny se diriger vers une luisante Mercedes décapotable de couleur noire, en ouvrir la portière et s'installer au volant. Comme son nouveau coéquipier semblait hésitant, le détective singapourien tendit la main en direction du siège à sa droite pour l'inviter à y prendre place. Souriant de plaisir, Francis ouvrit lentement la portière et s'installa sur le confortable siège baquet.

– On dirait que c'est le pactole, travailler comme détective privé à Singapour. Je crois que je vais venir m'installer par ici, blagua-t-il.

– Les affaires ne vont pas si mal, répondit Sunny.

– Sois sérieux, est-ce que cette auto est réellement la tienne, ou bien l'as-tu empruntée à ton père, un riche industriel ou encore à un client plein aux as afin de m'impressionner ? continuait de plaisanter Francis.

Son confrère éclata de rire en guise de réponse, puis ils restèrent tous deux silencieux alors qu'ils roulaient en direction de l'ouest.

– La Société du tigre blanc, as-tu déjà tenté d'aller recueillir des informations auprès de cette entreprise ? demanda Francis au bout d'un moment.

– Non, pour la bonne raison que je n'ai eu connaissance de son existence qu'hier, un peu avant ton arrivée. Les types du SCRS ne m'ont pas donné cette information plus tôt parce que, semble-t-il, ils voulaient s'assurer que j'attende ton arrivée avant d'entreprendre cette enquête.

– Je suis surpris qu'ils aient eu cette attention à mon endroit.

– Je crois qu'ils voulaient surtout que nous travaillions à deux à cause du danger que représente cette affaire à leurs yeux.

– Ah bon, mais pourquoi t'ont-ils choisi ? dis-moi.

– Tout simplement, je crois, parce que j'ai la réputation d'être le meilleur détective privé de Singapour.

– Le meilleur de Singapour, rien de moins ? Alors, je suis vraiment très honoré d'avoir la chance de travailler avec toi, plaisanta Francis.

Tout en conversant, Francis se rendait compte que Sunny prenait manifestement grand soin de son véhicule. Il conduisait avec mille précautions et à vitesse réduite dans le flot important de circulation. Il engageait ses vitesses en grande douceur et accélérait et décélérait de la même façon.

– Dis donc, tu prends soin de ta belle, lui fit remarquer Francis.

– Bien sûr, elle est toute neuve. J'en ai pris possession seulement ce matin. C'est pourquoi je suis allé te chercher à l'aéroport en taxi hier. Ne prends-tu pas les mêmes précautions avec ton automobile ?

– Si tu avais vu ce qui est arrivé à mes deux dernières autos, déclara le détective privé canadien.

Sunny tourna la tête et regarda son passager dans l'attente de plus de précisions, mais il ne posa pas de questions. Devant le silence que gardait son coéquipier, il comprit qu'il n'en apprendrait pas plus à ce sujet. Il se contenta de dire :

– Alors, rappelle-moi de ne jamais te prêter la mienne, si jamais il me venait la mauvaise idée de songer à le faire.

Francis éclata de rire avant de répondre :

– Compte sur moi pour ne pas te le rappeler.

Après un moment de silence, il reprit :

– Nous disions donc qu'on t'a offert de participer à cette enquête parce que tu es le meilleur détective privé de Singapour. Un détective de ta réputation a certainement plusieurs affaires en cours à tout moment. Vas-tu pouvoir travailler à plein temps sur l'affaire qui nous occupe pendant mon séjour ici ?

– Oui, j'ai retardé à plus tard la poursuite des enquêtes qui pouvaient attendre. Quant aux plus urgentes, je les ai confiées à mon associé qui va faire de son mieux pour mener de front ses propres enquêtes et les miennes.

– Dans les deux cas, je pense que tes clients peuvent ne pas apprécier. Pour que tu agisses ainsi, je suppose que le SCRS te paie à prix d'or.

– Je crois que nous ferions bien mieux de discuter de notre enquête plutôt que de nos rémunérations respectives, esquiva adroitement Sunny.

– Je ne puis que te donner raison à ce sujet.

Ils avaient quitté depuis un moment déjà le centre-ville aux gratte-ciel ultramodernes et aux lignes architecturales audacieuses. Ils se trouvaient maintenant dans un autre quartier d'affaires, aux édifices moins imposants, tant en volume qu'en apparence. Sunny rangea son flamboyant véhicule devant un bâtiment d'une dizaine d'étages. C'était un édifice qui ne payait pas de mine. La façade en était constituée de structures d'aluminium dans lesquelles étaient enchâssées des fenêtres aux cadres également en aluminium. Entre les fenêtres, étaient disposés des panneaux lustrés de couleur orange faits d'un matériau ayant l'apparence du plastique. Ce type de façade avait dû être de bon ton au cours des années cinquante, mais aujourd'hui il détonnait carrément.

– C'est ici que se trouvent les bureaux de la Société du tigre blanc, déclara Sunny.

– Allons-y sans attendre.

Les deux détectives prirent l'ascenseur jusqu'au troisième étage. Après avoir franchi une porte de verre, ils se retrouvèrent devant une secrétaire-réceptionniste qui semblait très occupée. Derrière elle, s'ouvrait un corridor de part et d'autre duquel des portes donnaient probablement accès aux bureaux des petites entreprises et des professionnels se partageant ses services.

La secrétaire avait les yeux en amande et un teint plutôt brunâtre. Francis la trouva assez jolie, bien que maigrichonne et maquillée de façon un peu trop voyante à son goût. Elle était probablement au milieu de la vingtaine et sa poitrine quasi inexistante soulevait à peine la jolie robe à motif de petites fleurs sur fond ivoire qu'elle portait. Elle était débordée de travail à l'arrivée des deux visiteurs. Le téléphone sonna à plusieurs reprises, et elle y répondit autant de fois, avant de pouvoir accorder son attention à Francis et à Sunny, ce qu'elle fit en leur adressant un sourire engageant. Mais, sitôt qu'elle connut la raison de leur visite, son beau sourire disparut comme par magie.

À la question de Sunny, elle répondit sèchement que la Société du tigre blanc n'avait plus ses bureaux à cet endroit depuis un certain temps déjà. Elle se plongea ensuite immédiatement dans un travail de rédaction, en tapant à une vitesse impressionnante sur le clavier de son ordinateur. Il était évident qu'elle entendait bien ainsi signifier que la conversation était close quant à elle. Les deux hommes n'avaient toutefois pas du tout l'intention de se laisser éconduire aussi facilement.

– Savez-vous où ils sont maintenant installés ? insistait Sunny.

– Je n'en ai pas la moindre idée, fit la jeune femme, sans lever les yeux de son écran d'ordinateur ni cesser de taper sur son clavier.

– Pourriez-vous alors nous dire les noms des personnes qui travaillaient ici pour cette entreprise, intervint Francis.

– Je ne connais que leurs prénoms, répondit-elle en soupirant en signe d'impatience.

– Et quels sont ces prénoms, s'il vous plaît ? insista Francis à son tour.

– Steven et Terence, fit-elle, on ne peut plus laconiquement.

– Ces deux hommes ont-ils été les seuls à travailler ici pour cette société ? continua Francis.

– Oui.

– Ont-ils travaillé ici longtemps ?

– Je dirais deux ans environ.

– Et vous êtes certaine de ne pas vous rappeler leurs noms de famille ?

– Oui, j'en suis certaine.

Un homme qui venait d'émerger d'une des portes donnant sur le corridor à quelques pas derrière la secrétaire, se dirigea vers elle avec quelques feuillets manuscrits à la main. Il interrompit la conversation en cours, en disant à la jeune femme :

– J'ai ces quelques lettres à taper de toute urgence.

– J'ai déjà un travail urgent à terminer pour monsieur Leong, répondit-elle en désignant du menton son écran d'ordinateur. De plus, madame Chew m'a confié, elle aussi, un travail qu'elle a qualifié d'extrêmement urgent. J'ai bien peur que vos lettres vont devoir attendre après.

– Bon très bien Magdalene, mais faites-les immédiatement après le travail de madame Chew, dit l'homme avant de déposer ses feuillets sur le coin du bureau de la secrétaire et de retourner vers son antre de travail en maugréant.

– Vous voyez, dit-elle en s'adressant à Francis et à Sunny, je travaille sans relâche, pourtant jamais personne n'est content. Je n'ai vraiment plus le temps de discuter avec vous.

– D'accord, s'inclina Francis. Mais, permettez que je vous remette ma carte de visite. Je vais vous y inscrire le numéro de mon téléphone mobile. Vous pouvez m'y joindre à n'importe quel moment si vous changez d'avis.

Il laissait de cette façon clairement entendre à la jeune femme qu'il ne la croyait pas lorsqu'elle disait ne pas connaître les noms de ses anciens clients. Il continua :

– Une récompense substantielle pourrait même vous être versée si vous acceptiez de nous confier quelques informations qui nous seraient utiles. Ce serait de l'argent beaucoup plus facilement gagné qu'à travailler pour des gens ingrats comme vous le faites ici, ne croyez-vous pas ?

À cette remarque, elle leva enfin les yeux de son écran et regarda Francis l'air soudainement intéressée, puis elle sembla se raviser et répondit :

– Sans doute avez-vous raison, mais je ne sais rien de ce que vous désirez apprendre. Je vais donc devoir continuer à me taper ce boulot ingrat pour payer les factures. Alors, laissez-moi travailler maintenant s'il vous plaît.

– D'accord Magdalene, nous allons partir et vous laisser à votre travail. Dites-moi cependant quel est votre nom de famille.

– Pourquoi ?

– Pourquoi refuseriez-vous de me le dire ? Avez-vous quelque chose à cacher ou à vous reprocher ? Est-ce aussi un secret ?

– Bon ça va, je m'appelle Magdalene Gwee. Êtes-vous content maintenant ? Allez-vous enfin me laisser travailler en paix ?

– Chose promise, chose due. Nous nous en allons, agréa Francis.

Et les deux hommes se retrouvèrent peu après en train de rouler dans la voiture de Sunny.

– Il est évident que cette jeune femme nous a menti, dit Sunny peu après avoir démarré.

– Il n'y a aucun doute là-dessus. Elle appelle tous ses clients par leur nom de famille et prétend connaître uniquement les prénoms de ceux auxquels nous nous intéressons, approuva Francis. Mais comment la convaincre de parler ?

– L'idée d'offrir une récompense était excellente. Au SCRS, on m'a dit que tu ne travailles pas directement pour eux dans cette affaire, mais que tu as plutôt été embauché par un particulier. Est-ce exact ?

– C'est exact, admit Francis.

– Et ton client a mis des fonds à ta disposition pour offrir une récompense ? C'est certainement quelqu'un de très riche, commenta Sunny.

– Ce n'est pas vraiment le cas. À vrai dire, j'ai plutôt pensé mettre le SCRS à contribution, en ce qui concerne cette récompense.

Sunny lança un rire sonore avant de dire :

– On peut dire que tu ne manques pas de culot, toi alors. Et à quelle somme pensais-tu exactement ?

– Eh bien pour que l'attrait soit suffisant, j'avais envisagé une somme de cinquante mille dollars.

– Cinquante mille dollars ? Rien que cela ? commenta Sunny après avoir émis un sifflement d'appréciation.

– Cinquante mille dollars américains, évidemment, précisa Francis.

– Tu vas donc téléphoner aux gens du SCRS et leur dire que tu projettes de promettre cinquante mille dollars américains de récompense à une réceptionniste en leur nom en échange de quelques renseignements ?

– C'est exactement cela, à un léger détail près.

– Et quel est ce léger détail, s'il te plaît ?

– Eh bien, c'est toi qui vas leur téléphoner, répondit Francis en affichant un sourire quelque peu malicieux.

– Quoi ? fit Sunny, en manquant de s'étouffer de surprise.

– Puisque tu es déjà, d'une certaine façon, sur leur liste de paie, il sera certainement plus facile pour toi d'obtenir cet argent. Ne crois-tu pas ?

– Ouais, en tout cas, disons que je vais essayer, concéda Sunny d'une voix peu enjouée.

– Bravo ! se réjouit Francis. Je suis persuadé que tu sauras les convaincre. Et, en lui offrant une telle somme, je crois que les chances de convaincre Magdalene Gwee de nous aider sont excellentes.

– Je ne sais pas, tempéra Sunny. Elle craint probablement des représailles. Si c'est le cas, la perspective d'une récompense sera insuffisante pour lui délier la langue.

– Peut-être, admit Francis. Donnons-lui deux jours. Passé ce délai, si elle ne nous a pas contactés, nous adopterons une autre stratégie.

– Et si nous mettions sa vie en danger en lui achetant des informations ? s'interrogea Sunny.

– Je me suis posé la même question. Cela m'embête beaucoup d'avoir à insister auprès d'elle, mais elle représente notre seule piste pour l'instant. Puisqu'il est question de risques, on m'a dit qu'un autre détective enquêtant sur cette affaire a été assassiné, ici à

Singapour, il y a quelques jours, dit Francis. Est-ce que tu le connaissais ?

– Je ne le connaissais, que vaguement. Ce qui lui est arrivé nous confirme qu'il va falloir nous montrer très prudents.

– En effet.

– Cela me fait penser que les renseignements que j'ai pris hier sur l'homme avec lequel tu as conversé dans l'avion semblent indiquer qu'il est bien ce qu'il prétend être, dit Sunny.

– Il est bon de savoir à quoi s'en tenir à son sujet.

Les deux détectives gardèrent le silence pendant quelques instants, puis Francis demanda :

– Où allons-nous maintenant?

– Puisque nous avons un moment de libre, je t'amène à mon bureau. Si tu es d'accord, nous allons y établir notre quartier général. Je crois donc qu'il serait utile que tu viennes y faire un tour au plus tôt afin de te familiariser avec l'endroit.

Ils roulaient maintenant dans un quartier commercial dont les immeubles à l'architecture raffinée étaient impeccables, bien que de dimensions plus raisonnables que les gratte-ciel du centre-ville. Sunny rangea cette fois-ci son véhicule devant un bâtiment qui semblait de construction relativement récente. La façade en était de maçonnerie d'un blanc immaculé, ce qui contribuait à donner à l'immeuble un certain air d'opulence, de stabilité et de sérieux.

Arrivés au douzième étage du luxueux immeuble, Francis suivit son confrère jusqu'aux bureaux occupés par son agence. Une réceptionniste tirée à quatre épingles et raide comme un sphinx montait la garde dans une antichambre lambrissée de bois précieux enchâssé de plaques d'étincelant marbre vert. D'amples fauteuils de cuir vert étaient disposés pour les visiteurs et d'attrayantes estampes orientales agrémentaient les murs. Deux plantes vertes de la taille d'un homme complétaient le décor de la réception, disposées en retrait, de part et d'autre de l'immense bureau acajou derrière lequel « officiait » la réceptionniste. Francis laissa échapper un sifflement admiratif en voyant le décor.

– Dis donc, ça a ses bons côtés d'être le meilleur détective en ville, dit-il.

– Bonjour monsieur Thong, salua la réceptionniste.

– Bonjour madame Ying. Je vous présente monsieur Bastien qui va collaborer avec moi pendant un certain temps. Il sera ici comme chez lui, et il occupera le bureau vacant qui se trouve près du mien. S'il a besoin de quoi que ce soit, ayez l'amabilité de le lui procurer s'il vous plaît.

– Très bien monsieur, répondit la femme, en inclinant légèrement la tête.

– Est-ce que Wilson est ici, s'enquit alors Sunny.

– Non, monsieur Chung n'est pas au bureau en ce moment.

– C'est dommage, j'aurais aimé te présenter mon associé, dit Sunny, à l'adresse de Francis.

Ensuite, il lui montra le bureau qu'il mettait à sa disposition, puis il l'amena dans son propre bureau afin de tenir conseil.

– Qu'envisages-tu de faire si mademoiselle Gwee ne donne pas signe de vie dans les prochaines heures ? demanda Sunny. Je connais des gens qui pourraient lui rendre visite pour... disons l'« inciter » à collaborer.

– Je n'aime vraiment pas avoir recours à ce genre de méthode, répondit Francis. Si on y réfléchit bien, il y a peut-être plutôt moyen de trouver ailleurs une autre piste à suivre. Par exemple, en nous adressant à la compagnie du téléphone ou aux fournisseurs de service Internet, nous pourrions peut-être découvrir la nouvelle adresse de la Société du tigre blanc. Par ailleurs, tu as certainement quelque part des contacts bien placés pouvant être utilisés pour retracer une entreprise ou ses propriétaires.

– Tu as raison, ce sont là des avenues à explorer.

Puisque c'est lui qui connaissait les contacts utiles, il fut alors convenu que c'est Sunny qui s'occuperait, l'après-midi même, de ces démarches rébarbatives. Entre-temps, comme il était déjà près de midi, il proposa à Francis de l'amener casser la croûte dans un excellent restaurant situé à proximité et où l'on servait, disait-il, de la fine cuisine indienne.

Francis trouva les mets absolument délicieux. Après le repas, Sunny retourna au bureau pour entreprendre, par téléphone, les démarches dont ils avaient convenu. Puisque sa présence était inutile, Francis, de son côté, retourna en taxi à son hôtel. Il projetait de profiter de cet après-midi de liberté afin de jouer les touristes et, comme le lui avait conseillé son voisin dans l'avion, d'aller visiter le parc ornithologique de Jurong. Il décida de passer par son hôtel afin d'enfiler des vêtements – bermudas et tee-shirt – dans lesquels il serait plus à son aise pour ce genre d'excursion.

Après avoir réglé sa course de taxi, il se dirigea vers l'entrée principale de l'hôtel. Il allait pousser une des portes de verre, lorsqu'il entendit, de la rue derrière lui, son prénom puissamment crié par un homme. Il se retourna au moment où retentissait ce qui lui sembla être un coup de feu. À bord d'une voiture rangée le long du trottoir, il vit un homme qui pointait un revolver dans sa direction par l'ouverture de la glace. Mais l'homme en question ne regardait pas dans la direction de Francis. Son attention semblait avoir été attirée ailleurs, vers un point qui se trouvait à quelque distance derrière l'auto qu'il occupait. C'est sans doute pour cette raison que le projectile s'était perdu quelque part plutôt que de l'avoir atteint, pensa le détective privé canadien, et il en profita pour se précipiter à l'intérieur de l'hôtel avant que le tireur ne le prenne à nouveau pour cible. Aussitôt qu'il s'y fut réfugié, il entendit le crissement de pneus d'une automobile accélérant au maximum.

Francis ressortit immédiatement devant l'hôtel et eut le temps de voir s'éloigner rapidement la voiture vert émeraude dans laquelle prenait place l'homme au revolver. Il constata que la glace arrière de l'automobile était fracassée. Quelques personnes s'étaient rassemblées sur le trottoir et discutaient avec animation de ce qui venait de se produire. De son côté, Francis avait parfaitement conscience d'avoir, encore une fois, échappé de justesse à un attentat. Il savait sans l'ombre d'un doute que c'était bien lui qui était visé, car il avait reconnu, dans l'agresseur, l'homme qui l'avait suivi dans les rues du Vieux Québec et qui avait vraisemblablement déjà tenté de l'abattre.

De toute évidence, cette fois-ci, il devait la vie à un ange gardien. S'il en venait à cette conclusion, c'est qu'en repassant dans sa tête le film des événements, il se rendait compte que, si l'homme qui avait pointé une arme dans sa direction regardait ailleurs, c'est sans doute que quelqu'un d'autre avait attiré son attention, probablement en tirant un coup de feu dans la glace arrière de son auto. Car, à bien y penser, le seul coup de feu tiré ne pouvait être que celui qui avait fracassé la glace arrière de l'automobile de l'agresseur. L'arme de celui-ci était passée par l'ouverture de la glace latérale juste après que la détonation se soit fait entendre. Si c'est lui qui avait tiré, la glace arrière de son véhicule n'en aurait aucunement souffert.

Celui qui avait fait feu était fort probablement aussi celui qui avait crié pour que Francis prenne conscience du danger qui le menaçait. Du mystérieux ange gardien, nulle trace ne restait. Il semblait s'être volatilisé. Francis regardait les gens attroupés sur le trottoir à cause de ce qui venait de se passer, ou ceux, moins curieux, circulant dans une direction ou dans l'autre, et aucun n'attirait son attention, aucun ne lui semblait être l'ange gardien qui venait de lui sauver la vie. Mais, à vrai dire, comment aurait-il pu l'identifier ?

Au même moment où, sirènes hurlantes, la police arrivait sur les lieux, un homme qui sortait de l'hôtel demanda à Francis s'il avait vu ce qui s'était passé. Il répondit qu'il venait d'arriver et n'avait rien vu. Il rentra ensuite dans l'hôtel, laissant les policiers singapouriens tenter de reconstituer les événements. Tout s'était déroulé tellement vite qu'il doutait que qui que ce soit, à l'exception, bien sûr, de son ange gardien, de l'agresseur et de lui-même ait pu se rendre compte qu'il ait pu être visé par l'agresseur. Il se dit alors qu'il aurait bien besoin d'aller prendre un whisky au bar afin de se remettre de ses émotions. De toute façon, pensa-t-il, aller jouer les touristes n'était peut-être plus tout à fait indiqué après ce qui venait de se passer. Aller se balader ici et là dans Singapour ferait de lui une cible trop facile. Il prit donc la direction du bar de l'hôtel.

Deux ou trois whiskys plus tard, il était encore assis au comptoir du bar lorsque son téléphone portatif sonna. C'était Sunny qui lui dit qu'il lui avait été impossible de retrouver la trace de la Société du tigre blanc. Pour le moment, Magdalene Gwee représentait donc toujours leur seul espoir de pouvoir progresser dans l'affaire. Par ailleurs, meilleure nouvelle, Sunny avait contacté le SCRS et, après s'être quelque peu laissés tirer l'oreille, les officiers en charge de cette affaire avaient finalement accepté de payer, si besoin était, la récompense que Francis envisageait de proposer à la secrétaire-réceptionniste pour son éventuelle collaboration.

– Tout va bien de ton côté? s'enquit ensuite Sunny.

– À l'exception d'un léger désagrément, ça va, répondit le détective privé canadien. Et il raconta à son confrère ce qui lui était arrivé un peu plus tôt, en arrivant à son hôtel. Il lui apprit également que ce n'était pas la première fois que cet homme s'en prenait à lui.

– Crois-tu que ces attentats soient reliés à l'enquête que nous menons et que tu avais déjà entreprise dans ton pays? demanda Sunny.

– C'est fort probable, puisque cela a débuté après que j'ai commencé à travailler sur cette affaire. Mais ce ne sont peut-être pas les gens que nous recherchons qui sont impliqués. Au début de mon enquête, je me suis intéressé à un membre du réseau de distribution de drogues d'un groupe de motards criminalisés que je croyais impliqué dans l'affaire. J'ai compris qu'il n'en était rien : il semble seulement que les motards n'ont pas vraiment apprécié mon intervention. Je ne croyais cependant pas qu'ils iraient jusqu'à envoyer un tueur à mes trousses à l'autre bout du globe et, d'ailleurs, je ne peux pas affirmer que ce sont eux qui l'ont fait.

– Quoi qu'il en soit, il est heureux que l'attentat ait échoué. Tu aurais dû me parler de ces motards. Nous aurions pu nous montrer plus prudents. En tout cas, il va dorénavant falloir prendre des mesures de sécurité. Par exemple, il y a un service de gardiennage dans l'immeuble où j'habite et les allées et venues des visiteurs y sont strictement contrôlées. Comme il y a présentement un appartement vacant, je suggère que tu viennes t'y installer. Je peux facilement arranger ça.

– Je te remercie Sunny, je suis très bien à l'hôtel et je compte y rester.

– Mais tu n'y seras pas en sécurité.

– Je suis persuadé que, où que j'habite, ceux qui en ont après moi réussiront à me rejoindre. Je pense que, si je vais m'installer où tu me suggères et que, me croyant en sécurité, je ne me tienne pas suffisamment sur mes gardes, c'est alors que je serai le plus en danger.

– Comme tu voudras. Toutefois, si tu changes d'avis, n'hésite pas à me le faire savoir. De toute façon, je vais passer par ton hôtel dans une heure ou deux afin de te remettre un revolver. Il est fort possible que tu en aies besoin d'ici peu et tu n'as certainement pas pu en apporter un avec toi dans l'avion qui t'amenait.

– Je ne refuse pas cette proposition.

– Alors d'accord, à tout à l'heure.

Quelques minutes à peine après cette conversation avec Sunny Thong, la sonnerie du téléphone mobile de Francis se fit à nouveau entendre. C'était Magdalene Gwee.

– J'aimerais savoir quel est le montant de la récompense à laquelle vous avez fait allusion cet après-midi monsieur Bastien, demanda-t-elle aussitôt après s'être présentée.

– Il s'agit d'une récompense de cinquante mille dollars américains, répondit Francis.

– Venez me retrouver à 21 heures ce soir à l'endroit que je vais vous indiquer et apportez avec vous cette somme en billets de banque. Je vous dirai à ce moment-là ce que vous désirez savoir, proposa la jeune femme.

– Cinquante mille dollars, ça peut faire un certain nombre de liasses de billets, dit Francis. D'ailleurs, je ne suis pas certain d'être capable d'obtenir cette somme en si peu de temps.

– Des coupures de mille dollars peuvent très bien faire l'affaire et, dans ce cas, la somme est facile à transporter. Pour ce qui est du délai, débrouillez-vous. Ma proposition tient uniquement pour ce soir.

– Très bien, je vais m'arranger. Dites-moi où je dois vous retrouver.

Magdalene Gwee indiqua le lieu du rendez-vous et insista pour que Francis s'y rende seul. Immédiatement après qu'elle eut raccroché, le détective privé téléphona à son coéquipier pour l'informer que la jeune réceptionniste acceptait maintenant de les aider. Il lui demanda également de se procurer la somme de la récompense.

– Quoi ? Tu veux que je me procure cinquante mille dollars américains en un délai d'à peine trois heures pour les remettre à cette Magdalene Gwee ? protesta Sunny.

– En fait, si tu pouvais obtenir cette somme d'ici deux heures et demie, ça m'arrangerait. Le rendez-vous qu'elle m'a fixé est bien dans trois heures, mais il faut aussi compter le temps de mon déplacement vers le petit restaurant qu'elle m'a indiqué et où je dois me rendre seul.

– Bien sûr, je comprends. Est-ce que tu désires aussi que je fasse préparer un emballage-cadeau ? se moqua Sunny.

– Ça serait là une excellente idée. Je crois que Magdalene apprécierait beaucoup cette délicatesse. N'oublie pas le ruban de soie et la boucle de teinte assortie à l'emballage, plaisanta à son tour Francis en renchérissant.

Plus sérieusement, il ajouta aussitôt :

– Après réflexion, l'idée est réellement excellente. Quoi de plus naturel, en effet, que de remettre un présent joliment enveloppé à une femme ? Cela pourra éviter d'attirer l'attention sur notre petite transaction.

– Ça va, j'ai compris. J'ai perdu une belle occasion de me taire. Je te rappelle dès que le cadeau est prêt. Si le SCRS ne peut m'obtenir les fonds assez rapidement, je vais me débrouiller autrement et, au besoin, avancer la somme moi-même le temps nécessaire.

– Qu'il est agréable de faire équipe avec le meilleur détective en ville, et le plus riche par le fait même, plaisanta à nouveau Francis.

– Je te vois venir. Ne me demande pas de te prêter ma Mercedes, répondit Sunny, entrant dans le jeu.

– Que fais-tu des règles de l'hospitalité ? Ainsi, tu vas laisser ton invité se balader en vulgaire taxi.

– Je te rappelle, d'une part, que tu n'es pas mon invité, mais plutôt un coéquipier qui m'a été imposé, et d'autre part, que je ne prête jamais ma voiture. Alors oui, je vais te laisser te déplacer dans un de nos taxis, qui sont par ailleurs excellents, je te fais remarquer.

– Très bien, je m'incline. Il faut savoir souffrir stoïquement lorsqu'on est à l'étranger. J'attends de tes nouvelles au sujet de la récompense, conclut Francis avant de couper la conversation.

Chapitre II

Enquête à Singapour

Deux heures et demie plus tard, Francis était en route à bord d'un taxi. Il lui fallait d'abord arrêter au bureau de Sunny pour y prendre la récompense qu'il devait remettre à Magdalene Gwee. Le détective privé canadien eut à peine le temps d'entrer dans les luxueux bureaux qu'il se faisait remettre l'emballage-cadeau dont il avait été convenu.

– Quel bel emballage! fit aussitôt Francis en voyant le paquet enveloppé de papier au motif oriental et aux teintes pastel que lui tendait son confrère.

Ne voulant pas manquer une autre occasion de le taquiner, il poursuivait :

– Est-ce que c'est toi qui l'as emballé? Si c'est le cas, je dois admettre que tu as de véritables doigts de fée.

Sunny sourit en répondant :

– Il y a près d'ici une de ces boutiques où l'on vend des cartes de souhaits ainsi que du papier et des accessoires d'emballage. On y offre également le service d'emballage. Tu aurais dû voir la tête de la jeune employée lorsque je lui ai présenté la liasse de billets de banque américains de mille dollars pour la faire emballer.

– Je me l'imagine fort bien. J'espère que tu lui as laissé un généreux pourboire.

– Pourquoi lui aurais-je laissé un pourboire?

– Ces riches sont presque tous pareils : incapables d'assumer leur fortune avec panache, plaisanta encore Francis en faisant un clin d'œil à son coéquipier qui, il le reconnaissait, avait été très efficace pour obtenir rapidement l'argent de la récompense. La pauvre employée a sans doute cru que tu lui faisais emballer un cadeau fastueux destiné à ta maîtresse et que tu t'es montré trop radin pour lui donner cinq dollars de pourboire après qu'elle eut enveloppé de si belle manière cette rondelette somme à ta place, ajouta Francis en souriant devant l'air d'incompréhension qu'affichait Sunny.

Ne sachant quelle attitude adopter devant les taquineries de son partenaire, celui-ci finit par dire :

– J'irai lui donner quelques dollars demain.

– Demain, il sera trop tard Sunny. L'effet ne serait plus le même. Cette jeune femme a maintenant et irrémédiablement de toi l'image d'un homme riche et radin. Et tu n'y peux plus rien.

– Au fait, quelle importance cela a-t-il? continua Francis sur la même lancée, avant d'ajouter : « Trêve de plaisanteries, pensons aux choses sérieuses. Il me faut maintenant aller rencontrer Magdalene Gwee. »

– Je te rappelle qu'il serait plus sage que je t'accompagne, ne serait-ce qu'à distance, dit alors Sunny.

– Nous risquerions d'effaroucher notre informatrice si elle s'en rendait compte, fit valoir Francis.

– En tout cas, apporte avec toi le pistolet que je t'ai fourni. Cela me rassurera un peu. Il est fort possible que ce rendez-vous soit un traquenard.

– J'en suis parfaitement conscient, admit Francis. C'est pourquoi j'ai apporté l'arme avec moi.

Il regagna alors son taxi qui l'attendait devant l'immeuble. Il donna au chauffeur le nom du restaurant-bar où il devait retrouver la jeune femme avec qui il avait rendez-vous. L'homme fit remarquer à son passager que cet établissement se trouvait dans un quartier de la ville que les autorités recommandaient aux touristes d'éviter, surtout en soirée.

– J'en prends bonne note, répondit Francis, mais nous y allons tout de même.

– C'est comme vous voulez patron, concéda le chauffeur en mettant en marche son véhicule. Je désirais seulement vous prévenir.

– Je vous en remercie, dit Francis en guise de conclusion.

Les deux hommes restèrent ensuite silencieux jusqu'à destination. Lorsqu'ils arrivèrent à proximité du restaurant, Francis put constater qu'en effet le quartier en question ne payait pas de mine. Quelques façades d'édifices présentaient des vitrines placardées, ils avaient croisé deux ou trois prostituées arpentant le trottoir et quelques types aux mines patibulaires adossés à des murs d'immeubles grisâtres, dévisagèrent le passager lorsque le taxi passa à leur hauteur. Le chauffeur finit par immobiliser son véhicule devant un immeuble à la façade décrépite. Une enseigne décolorée appliquée au-dessus de la porte au revêtement fendillé indiquait le nom du restaurant-bar que Magdalene Gwee avait choisi comme lieu de rendez-vous. C'était le crépuscule, et les fenêtres sombres des trois étages supérieurs laissaient croire qu'ils étaient inutilisés.

Francis régla la course et entra au rez-de-chaussée. Il découvrit un restaurant aux allures de gargote et à l'éclairage parcimonieux. L'ameublement était dépareillé et la décoration tenait à seulement deux ou trois affiches plastifiées accrochées aux murs. L'établissement semblait tout de même jouir d'une certaine popularité puisque plusieurs des tables étaient occupées.

Le détective privé alla s'asseoir à une table adossée au mur du fond. Il posa devant lui le sac de papier brun contenant l'emballage-cadeau à remettre à son informatrice. D'où il se trouvait, il avait une vue directe sur la porte d'entrée ainsi que sur les deux fenêtres de façade. Il pouvait donc voir tous les clients entrant ou sortant de l'établissement, ou du moins ceux qui le faisaient par la porte principale. Le détective privé commanda un whisky, qu'il se mit à siroter en attendant Magdalene Gwee.

Il remarqua deux hommes qui portaient des tee-shirts et des pantalons élimés à la propreté douteuse et qui étaient assis à une table près de la porte. À cause du faible éclairage, il n'aurait pu dire s'ils étaient de race chinoise ou malaise et il pensa qu'ils étaient probablement métis. Quant à leur âge, il estima qu'ils étaient à la fin de la vingtaine ou au début de la trentaine. Quoi qu'il en soit, les deux hommes regardaient fréquemment dans sa direction avec insistance, d'un air peu amène. Voulant éviter les ennuis, Francis choisit de les ignorer. Il était là pour mener rondement l'entretien qu'il devait avoir avec Magdalene Gwee et obtenir les renseignements dont lui et Sunny avaient besoin pour progresser dans leur enquête. Il n'était donc pas question de se laisser détourner de son but par ces deux types.

La jeune femme avec laquelle il avait rendez-vous arriva à peu près à l'heure. Lorsqu'il la vit s'encadrer dans l'embrasure de la porte, il la sentit nerveuse. Sa chevelure noire et soyeuse était impeccablement coiffée et retenue par deux peignes. Elle portait une robe fourreau fleurie sur fond lilas qui lui seyait très bien et dans laquelle le détective privé trouva qu'elle était très sensuelle. Elle se dirigea vers la table qu'il occupait, suivie du regard par les deux types qui lui avaient paru agressifs.

– Bonsoir mademoiselle Gwee, vous allez bien ? l'accueillit Francis lorsqu'elle se fut immobilisée juste devant lui. Asseyez-vous, je vous en prie.

– Sans répondre, elle prit place en face de lui.

Elle jeta ensuite un regard de part et d'autre, comme si elle voulait s'assurer que personne ne l'observait. Que ce geste l'ait rassurée ou non, elle fixa ensuite son attention sur le détective privé en se mettant à pianoter nerveusement sur la table.

– Désirez-vous boire quelque chose? offrit Francis.

– Un Martini dry.

« Décidément, la conversation s'annonce plutôt laconique », se dit alors le détective privé. Son informatrice ne semblait vraiment pas vouloir perdre de temps en vaines politesses. « Elle est ici pour expédier rondement l'affaire et, après réflexion, je dois avouer n'avoir absolument rien contre cela », pensa-t-il encore.

Parce qu'il ne voulait pas qu'ils soient dérangés pendant leur conversation, Francis passa la commande et attendit ensuite le retour de la serveuse avec le breuvage de la jeune femme avant d'aborder le sujet qui les avait amenés là.

– Ainsi, vous avez pour moi des informations qui en valent la peine, attaqua-t-il.

– Ça dépend. Avez-vous là la somme dont vous m'avez parlé? répondit la jeune femme en désignant du menton le sac de papier kraft posé sur la table.

– Peut-être désirez-vous en faire le compte, proposa Francis, devinant où elle voulait en venir.

Il sortit du sac le paquet joliment emballé et le déposa devant Magdalene Gwee en disant :

– J'espère que l'emballage vous plaît.

La jeune femme ne se donna pas la peine de répondre à cette plaisanterie. Elle ouvrit avec précautions une extrémité du paquet et se mit à compter le nombre de billets en en découvrant à peine suffisamment pour s'assurer que chacun d'eux était bien une coupure de mille dollars.

– Le compte y est, conclut la jeune femme, une fois sa vérification terminée. Mais qu'est-ce qui m'assure que ces billets de banque ne sont pas des faux?

Elle déposa le paquet près d'elle sur la table et Francis mit la main sur l'argent et l'attira vers lui.

– Qu'est-ce qui m'assure que les renseignements que vous allez me fournir sont vrais ? dit-il. Il semble que nous allons être obligés de nous accorder mutuellement un minimum de confiance. D'ailleurs, avant de m'intéresser à la véracité de vos informations, je dois m'intéresser à leur intérêt. Valent-elles ces cinquante mille dollars de l'Oncle Sam ?

– Compte tenu des risques que je prends à vous les transmettre, elles les valent. Si vous avez l'intention de revenir sur le montant de la récompense, je vous préviens que je vais retourner immédiate-ment chez moi et vous laisser vous débrouiller avec cette histoire. Pour ce qui est de l'authenticité des billets, je veux bien vous accorder un minimum de confiance, comme vous dites. Mais en échange de la somme convenue, vous allez devoir vous contenter du peu de renseignements que je suis en mesure de vous fournir.

Pour signifier qu'il acceptait le marché, Francis repoussa le paquet de billets de banque devant Magdalene Gwee avant de demander :

– Qu'est-ce qui vous fait dire que les dirigeants de la Société du tigre blanc sont dangereux ?

– Un jour, alors que je passais dans le corridor devant leur bureau, j'ai entendu des éclats de voix. J'ai l'habitude d'être très discrète envers mes clients mais, comme ils étaient toujours très posés et que je ne les avais jamais entendus élever la voix, cette dispute éveilla ma curiosité. J'entendis un des deux hommes reprocher à l'autre de s'être adressé à un tueur à gages qui était un incapable. Le ton baissa immédiatement après ces paroles, les deux hommes s'étant sans doute rendu compte qu'ils avaient parlé trop fort sous le coup de la colère. Tout de suite j'ai pris conscience que si jamais ils savaient que j'avais entendu ce qui venait de se dire, il pouvait m'arriver malheur. Je me suis donc précipitée vers mon poste de travail. J'ai eu juste le temps de m'y rendre et feignais d'éplucher le courrier en me tenant debout à côté de mon bureau lorsque je vis, du coin de l'œil, leur porte s'entrouvrir, sans doute afin de vérifier si quelqu'un était suffisamment près pour avoir entendu. Ils ont peut-être eu des soupçons, mais ils n'ont jamais abordé la question avec moi. Quelques semaines plus tard, ils ont déménagé sans préavis et sans laisser d'adresse où faire suivre le peu de courrier qu'ils recevaient. Ils ont dit qu'ils enverraient quelqu'un le prendre. Ils m'ont tout juste laissé un numéro de téléphone où je peux les contacter au besoin.

– Vous allez me laisser ce numéro de téléphone, intervint Francis.

– Je vous l'ai inscrit sur ce bout de papier, répondit la jeune femme en poussant le papier en question sur la table en direction de Francis.

– Ainsi, ils recevaient peu de courrier ? s'enquit le détective privé en ramassant le papier.

– Oui, j'ai cru comprendre que le gros de leurs affaires se déroule sur Internet. Je crois que leurs communications se font principalement par courrier électronique.

– Cela me confirme que je suis sur la bonne piste. Et maintenant, vous allez me dire quels sont les noms des deux hommes auxquels vous avez eu affaire, car vous connaissez leurs noms, n'est-ce pas ?

– Ils s'appellent Terence Tan et Steven Hoh.

– Très bien. Avez-vous d'autres informations à me communiquer ? demanda Francis.

– Non, c'est tout ce que je sais. Ce n'est pas beaucoup mais, comme je vous l'ai déjà dit, je prends un risque énorme en vous révélant ces détails.

– J'en suis conscient et je vous remercie de votre collaboration. Vous avez mon numéro de téléphone, alors si jamais vous avez des ennuis, n'hésitez pas à communiquer avec moi. Vous pourrez aussi vous adresser à monsieur Thong lorsque j'aurai quitté votre pays.

– Bien sûr, fit Magdalene Gwee d'un air sceptique. Maintenant que je vous ai révélé ce que vous désiriez savoir, je sais bien que vous ne lèverez pas le petit doigt pour moi. Ne vous en faites pas, c'est de bonne guerre. Après tout, j'ai été payée, et plutôt bien, je dois dire. Alors, je vous dis adieu, monsieur Bastien.

– Je vous assure que je vous viendrai en aide au besoin, insista Francis.

Magdalene Gwee se contenta de répondre :

– Je dois maintenant m'en aller.

– Je vais vous accompagner, il est sans doute dangereux pour une femme de circuler seule dans ce quartier la nuit tombée.

– Je préfère partir seule. J'ai grandi dans ce quartier, monsieur Bastien, alors je le connais bien et je sais qu'il n'y a pas de danger pour moi ici.

– Je crois quand même qu'il serait plus prudent…

– Adieu monsieur Bastien.

Sans laisser l'occasion au détective privé d'ajouter quoi que ce soit, déjà Magdalene Gwee avait saisi le paquet qui se trouvait devant elle, s'était levée et se dirigeait vers la porte du restaurant-bar. Lorsqu'elle passa devant la table où s'étaient trouvés les deux types à l'allure inquiétante, Francis remarqua qu'ils étaient partis.

Il resta encore un peu pour finir son verre. Il se dit que la jeune femme qu'il venait de rencontrer était très lucide. À bien y penser, il lui serait en effet sans doute très difficile, si le besoin s'en faisait sentir, de lui venir en aide tout en poursuivant son enquête. Et, après son départ de Singapour, il ne pouvait pas vraiment s'engager au nom de son coéquipier en ce sens.

Il régla la facture et demanda qu'on lui appelle un taxi. Tandis qu'il attendait l'arrivée de la voiture, ses pensées bifurquèrent dans une autre direction. Il se prit à songer qu'il avait bien hâte de conclure cette affaire et de revoir Sylvia Varady. Ses pensées ne vagabondèrent pas bien longtemps puisque la voiture-taxi qu'il avait demandée ne tarda pas à se ranger devant le restaurant. Quelques minutes plus tard, le détective avait regagné sa chambre d'hôtel. Peu après, il plaça un appel téléphonique aux antipodes afin de parler à Sylvia.

Chapitre 12
Sur la piste du tigre blanc

En arrivant au bureau de Sunny ce matin-là, Francis lui rapporta son entretien de la veille avec Magdalene Gwee. Même s'il trouvait la récolte d'information un peu mince pour le prix payé, son coéquipier fut quand même heureux d'apprendre qu'ils avaient maintenant les noms des deux hommes se trouvant derrière la raison sociale de la Société du tigre blanc ainsi qu'un numéro de téléphone où ils pouvaient être contactés.

– Grâce à un contact que j'ai à la compagnie téléphonique, je vais certainement pouvoir nous procurer dès aujourd'hui l'adresse correspondant à ce numéro de téléphone, déclara le détective singapourien.

– Je n'en attendais pas moins du meilleur détective privé de Singapour, le taquina Francis en faisant un clin d'œil.

– Nous pourrons probablement aller rendre visite à ces messieurs ce matin même, répondit Sunny, ignorant la plaisanterie.

– Je suggère que nous ne prenions pas de rendez-vous et que nous leur fassions la surprise.

– Excellente idée, leur plaisir n'en sera que plus grand, fit Sunny, se laissant aller lui aussi à plaisanter.

⁂

Lorsqu'ils se présentèrent à la nouvelle place d'affaires de la Société du tigre blanc, les deux détectives constatèrent que l'entreprise semblait avoir prospéré. En effet, le quartier et l'immeuble où elle était maintenant installée avaient meilleure allure que les précédents. De plus, il n'était plus question de bureaux et de services partagés. La société occupait dorénavant ses propres bureaux et embauchait sa propre secrétaire.

C'est d'ailleurs celle-ci qui accueillit les deux visiteurs. Lorsqu'ils demandèrent à voir Terence Tan et Steven Hoh, elle leur répondit que seul Steven Hoh était au bureau à ce moment-là. Elle leur demanda leurs noms et alla prévenir son patron.

À son retour, la secrétaire informa les deux détectives privés que « monsieur Hoh consentait à les recevoir ». Elle les invita du geste à entrer dans son bureau. Monsieur Hoh était un homme de petite taille, plutôt replet. Son visage très rond était surmonté d'une chevelure jais taillée en brosse. Il portait une chemise sans cravate, dont le col était ouvert et dont il avait roulé les manches.

Au moment où ses visiteurs entrèrent, il se leva et, désignant une table entourée de fauteuils, dit :

– Nous allons nous asseoir à cet endroit.

Steven Hoh laissa ses visiteurs choisir leurs sièges et s'assit ensuite devant eux. Une fois tout le monde installé, le petit homme se garda de demander à ses visiteurs ce qu'ils lui voulaient. Il se contenta de les regarder tour à tour en attendant qu'ils se décident à parler. C'est Sunny qui brisa la glace :

– Monsieur Hoh, si je ne m'abuse, vous êtes gestionnaire de la Société du tigre blanc, société ayant d'ailleurs ses bureaux ici même.

– C'est-à-dire que je gère l'entreprise conjointement avec mon associé, Terence Tan. Vous le saviez déjà puisque vous nous avez demandés tous les deux lorsque vous êtes arrivés. Pourquoi vous intéressez-vous à notre entreprise ?

– Comme nous l'avons dit à votre secrétaire tout à l'heure, Monsieur Bastien et moi sommes détectives privés.

Steven Hoh cligna des yeux et hocha légèrement la tête de façon à exprimer qu'il en était déjà effectivement au courant. Il garda ses yeux fixés avec attention sur Sunny pour démontrer qu'il attendait des explications plus complètes. Celui-ci continua :

– Nous avons été engagés pour enquêter au sujet de l'assassinat mystérieux de plusieurs jeunes adeptes de jeux vidéo, dont un certain nombre d'informaticiens, un peu partout de par le monde.

– Et en quoi cela concerne-t-il la Société du tigre blanc, dites-moi ?

– Eh bien, il semblerait que plusieurs de ces jeunes aient été en contact avec votre société peu avant leur assassinat.

– Notre entreprise gère un excellent site Internet de jeux vidéo. Elle offre la possibilité de s'adonner à des jeux virtuels de très haut niveau et présentant des défis extrêmement stimulants. Alors, les jeunes qui sont habiles dans ce domaine sont tout naturellement très nombreux à fréquenter notre site et à faire affaire avec nous. Ceux qui œuvrent eux-mêmes dans le domaine de l'informatique sont très à même d'apprécier la qualité de nos jeux et constituent donc une part importante de notre clientèle. D'ailleurs, monsieur Bastien, n'êtes-vous pas vous-même au courant de l'excellence de nos jeux ?

– Pas du tout ; je ne m'y connais guère en la matière. Qu'est-ce qui vous fait dire cela ?

– J'avais cru vous compter parmi notre clientèle.

– Non, je ne suis pas amateur de jeux électroniques. J'ai déjà bien de la difficulté à faire fonctionner correctement mon ordinateur, croyez-moi. Tout au plus, quelqu'un est venu me montrer comment fonctionne votre site de jeux en utilisant ma machine. Pour cela, il a joué une partie ou deux en mon nom, voilà tout.

Cette réponse parut rendre songeur Steven Hoh. Il se massa le menton de la main droite en disant :

– Cela est bien étrange.

– Qu'est-ce qui est étrange ? interrogea Francis.

– Que vous ne soyez pas adepte de jeux virtuels.

– Je ne vois rien d'étrange là-dedans. Puisque vous semblez bien connaître votre clientèle, vous rappelez-vous d'un certain Stefan Varady qui en aurait fait partie ?

– Ce nom ne me dit rien, répondit Steven Hoh. Nous ne pouvons connaître individuellement les gens qui utilisent nos services.

– Dans ce cas, comment se fait-il que vous pensiez compter mon confrère parmi votre clientèle ? intervint Sunny.

– C'est tout simplement que j'ai consulté nos données juste avant votre entrée dans ce bureau. Ma secrétaire venait de me donner vos noms et, par curiosité, j'ai vérifié s'ils y figuraient. J'ai découvert un client canadien du nom de Francis Bastien. Comme votre confrère est Canadien, j'en suis venu à la conclusion que notre client et lui ne font qu'une seule et même personne. C'est pourquoi ce qu'il vient de me révéler me laisse perplexe.

– Je ne vois pas pourquoi cela vous rend perplexe puisque monsieur Bastien vient de vous donner l'explication de l'affaire.

– Je le sais bien. Le problème est que notre client a participé à beaucoup plus que deux matchs virtuels.

Ces paroles surprirent beaucoup Francis.

– C'est à mon tour d'être perplexe, avoua-t-il.

– Si vous voulez bien, laissons là ces mystères pour le moment et revenons à ces jeunes informaticiens et autres adeptes de jeux vidéo qu'on assassine sans raison apparente tout autour du globe, proposa Sunny. On a découvert que plusieurs de ces jeunes avaient effectué, via une banque opérant à partir de Macao, d'importants transferts de fonds peu avant leur mort.

Gardant un ton calme malgré l'attitude directe adoptée par Sunny, Steven Hoh répondit :

– Je vous répète la même question que tout à l'heure : qu'est-ce que cela a à voir avec la Société du tigre blanc ?

– Il semble que votre entreprise fasse aussi affaire avec cette banque.

– Je n'ai pas à discuter avec vous des activités financières de mon entreprise.

Cette fois-ci, le ton de Steven Hoh était moins posé.

– À vrai dire monsieur Hoh, nous ne nous intéressons pas le moins du monde aux activités financières de votre entreprise. Nous nous intéressons seulement à cette étrange tendance qu'ont plusieurs jeunes adeptes de jeux vidéo du monde entier à se faire assassiner et aux coïncidences qui semblent relier plusieurs d'entre eux avec la Société du tigre blanc.

– Cela suffit messieurs. Vous insinuez avec insistance que nous avons quelque chose à voir avec ce qui est arrivé à ces jeunes gens. Ce n'est absolument pas le cas.

Le ton de Steven Hoh était maintenant carrément cassant. Il continua :

– Je n'ai pas à répondre à vos questions insolentes. Si les autorités compétentes ont quelque interrogation au sujet des activités de la Société du tigre blanc, elles n'ont qu'à venir m'interroger. Quant à vous messieurs, je vous prierais de me laisser maintenant à mon travail.

– Comme vous voudrez monsieur Hoh, dit Sunny tandis que lui et Francis se levaient. Nous voulions seulement connaître vos explications quant aux coïncidences dont nous vous avons parlé. Nous soumettrons notre rapport aux gens qui nous ont embauchés et qui sont en contact avec les autorités auxquelles vous avez fait allusion. Peut-être auront-elles effectivement besoin de venir clarifier certains détails avec vous. Merci de nous avoir reçus et écoutés.

Sans répondre et sans perdre son air outré, le petit homme replet regarda les deux détectives privés sortir de son cabinet. Ceux-ci saluèrent la secrétaire au passage mais, ayant sans doute entendu les éclats de voix de son patron, elle jugea plus prudent de s'abstenir de répondre. Quelques minutes plus tard, alors qu'ils roulaient à bord de l'auto de Sunny, Francis dit :

– Notre ami a perdu son calme lorsqu'il a constaté que tu en savais plus que ce à quoi il s'attendait.

– Oui, il a été surpris de nous voir si bien informés.

– Je dois dire que je l'ai été un peu moi aussi, répondit Francis. Je n'étais pas au courant au sujet de la banque.

– À vrai dire, je ne savais pas que l'entreprise de monsieur Hoh faisait affaire avec la même banque par l'intermédiaire de laquelle plusieurs des victimes ont transféré des fonds. Je suis allé à la pêche et le poisson a mordu.

– En effet, la réaction de cet homme confirme tes soupçons. Notre enquête progresse finalement un peu.

– Pour fêter cela, je t'invite au restaurant, dit Sunny. Je connais un endroit où le bœuf satay et le poulet hainanais sont irrésistibles. Tu m'en diras des nouvelles.

⁂

Le lendemain matin, Francis avala un déjeuner léger au restaurant de l'hôtel. Son estomac était encore fragile à la suite du repas copieux et bien arrosé de la veille. Sunny avait eu raison de lui vanter la qualité de la nourriture du restaurant où il l'avait amené. Ils avaient trop mangé, trop bu, et Francis ne se sentait pas vraiment dans son assiette ce matin-là. Son déjeuner terminé, il prit un taxi pour se rendre aux bureaux de l'agence de détectives de son coéquipier.

À son arrivée, il salua madame Ying qui, comme à son habitude, montait la garde à la réception et il se rendit au cabinet de travail mis à sa disposition. Il venait à peine de s'installer que Sunny s'encadra dans la porte. À voir l'air que celui-ci affichait, Francis devina immédiatement que quelque chose clochait.

– Qu'y a-t-il ? demanda-t-il.

– Comment cela s'est-il passé avec Magdalene Gwee avant-hier ? demanda à son tour Sunny sans répondre à la question de Francis.

– Cela s'est passé sans problème. Pourquoi ?

– Parce qu'il est question d'elle dans les journaux ce matin.

– Et en quel honneur, s'il te plaît ?

Sunny attendit un moment avant de répondre. Il scrutait Francis du regard, comme s'il cherchait à percer ses pensées. Il finit cependant par déclarer :

– Son cadavre a été retrouvé hier dans un conteneur à déchets placé dans une ruelle à proximité du restaurant où tu es allé la rencontrer.

Accusant le choc, Francis resta silencieux à son tour pendant un moment. Sunny ajouta :

– Les journaux donnent la description d'un homme qu'elle a rencontré peu avant qu'il lui arrive malheur et que la police recherche. Ai-je besoin d'ajouter que tu réponds bien à cette description ? Il faut cependant dire qu'elle est tellement vague que plusieurs milliers d'hommes de race européenne habitant Singapour y répondent sans doute également.

– Tu crois que je l'ai tuée pour garder l'argent de la récompense, si je comprends bien.

– Je dois avouer que l'idée m'a effectivement effleuré l'esprit. Qu'en est-il exactement, dis-moi?

Francis regarda Sunny droit dans les yeux et dit :

– Comme il était convenu, j'ai rencontré Magdalene Gwee. Elle m'a dit ce qu'elle savait, je lui ai remis l'argent et elle est partie. Voilà ce qui s'est passé.

– En tout cas, ce qui est certain, c'est qu'elle n'est pas allée loin.

Ces paroles de Sunny rendirent Francis songeur. Après un moment de réflexion, il dit :

– J'y pense. Il y avait deux types à l'air patibulaire lorsque je suis arrivé au restaurant où Magdalene m'avait donné rendez-vous. Quand elle est repartie, les types n'étaient plus là. Peut-être étaient-ils encore dans les parages. Dans ce cas, ils pourraient très bien l'avoir agressée.

– Comment pourrions-nous retrouver ces types?

– Ils me semblaient se comporter comme les coqs de la place. Il est fort possible qu'ils soient des habitués de l'endroit. Si c'est bien le cas, nous pourrons probablement les y retrouver si nous nous y rendons ce soir, par exemple.

– Ça vaut la peine d'essayer.

⁂

La nuit venait à peine de tomber lorsque les deux détectives privés se présentèrent au restaurant-bar où Francis avait rencontré Magdalene Gwee. Aussitôt entré, le privé canadien regarda en direction de la table qui, à sa visite précédente, était occupée par les deux hommes qu'il désirait voir. Il fut soulagé de constater que l'un des deux types s'y trouvait attablé. Il le désigna du regard à son coéquipier et ils se dirigèrent vers l'homme. Voyant Francis et Sunny s'asseoir à sa table, le type eut l'air étonné.

– Salut, dit Francis d'un air joyeux, en s'assoyant. Les choses vont bien dis donc! fit-il en désignant la bouteille de champagne qui se trouvait sur la table. Aurais-tu quelque chose à fêter, dis-moi ?

Comme le type ne répondait pas et semblait étonné de ce qui se passait, Francis poursuivit :

– Je n'ai pas l'impression que tu me reconnais. Laisse-moi te rafraîchir la mémoire : j'étais ici avant-hier à cette table là-bas en compagnie d'une jeune femme. Comme je passais à nouveau par ici ce soir et que je me rappelais que ton copain et toi m'avez fait les yeux doux l'autre jour, je me suis dit que je devais absolument venir vous présenter mon ami. Je constate que tu es seul. Dommage, ton copain n'aura pas le plaisir de faire la connaissance de mon ami. Pas ce soir, du moins. En tout cas, toi tu es plus chanceux, enfin si on peut dire…

– Les amis de mes amis sont mes amis, dit Sunny, entrant dans le jeu en souriant.

– Foutez-moi la paix, espèces de cinglés, dit l'homme, sortant de son mutisme.

– Tu vois ? fit Francis à l'adresse de Sunny. Je prends la peine de t'amener ici pour que vous fassiez connaissance et il se montre grossier. Il ne sait vraiment pas se tenir.

– Je crois qu'il n'a pas encore compris les règles du jeu.

– Laissez-moi tranquille, sinon vous allez le regretter, menaça le type.

– Tu as raison, dit Francis, s'adressant à son coéquipier. Il n'a vraiment pas saisi les règles du jeu. Il va décidément falloir que je lui explique.

– Vas-y, explique-lui, car je commence à m'impatienter.

S'adressant à l'inconnu, Francis dit :

– Alors écoute. Au cas où tu ne l'aurais pas remarqué, mon ami qui est assis en face de toi a la main droite sous la table. Et dans cette main, il tient un pistolet pointé sur ta future descendance.

Alors, si tu ne veux pas pisser par un tuyau de plastique pour le reste de tes jours, sans parler du reste, je te conseille de te montrer coopératif et poli.

Sunny adressa un sourire entendu au type qui eut l'air tout à coup désemparé.

– Soit dit en passant, mon ami a tendance à s'impatienter facilement, sans compter qu'il aime à me dire qu'il est très habile avec un pistolet. Comme j'ai exprimé des doutes au sujet de cette habileté, il n'aimerait pas mieux que de m'en faire la démons-tration. À toi de ne pas lui en donner l'occasion.

– Qu'est-ce que vous me voulez ? dit l'homme.

– Je crois qu'il a compris cette fois, fit Francis en s'adressant encore à Sunny. Ce n'est pas de chance pour toi.

– On ne sait jamais. Peut-être qu'il va changer d'avis, répondit Sunny.

– Écoutez les gars, ne faites pas de conneries. Dites-moi ce que vous voulez.

– Comme je te l'ai dit tout à l'heure, je suis venu dans ce restaurant avant-hier rencontrer une jeune femme. Or, il lui est arrivé malheur lorsqu'elle est sortie d'ici et mon petit doigt me dit que ton copain et toi avez quelque chose à voir avec ce qui lui est arrivé. Et je fais énormément confiance à mon petit doigt. Dans ce cas-ci, est-ce qu'il se trompe ?

– Nous n'avons rien à voir là-dedans, je vous le jure, nia le type avec véhémence. Je ne sais pas de quelle femme vous parlez.

– Tut tut tut, ce n'est pas bien de mentir comme ça, riposta Francis. Je vous ai vus la regarder avec insistance lorsqu'elle est arrivée. D'ailleurs, on a parlé d'elle dans les journaux parce qu'on a retrouvé son cadavre dans une ruelle à deux pas d'ici. Comment peux-tu espérer me faire croire que tu ignores de qui je parle ? Je croyais t'avoir dit que mon ami n'est pas d'un naturel très patient.

– Justement, j'ai bien envie de te faire une démonstration de mon adresse répondit Sunny à Francis. Tu ne pourras plus dire que je me vante sans raison. Je te jure que je suis capable de lui faire éclater l'«entrejambe» sans même voir la cible.

– Attends un peu, fit Francis. Laissons-lui une dernière chance. Si tu tires, non seulement cela fera un bang qui va déranger tout le monde, mais il va se mettre à couiner comme un porc qu'on égorge. Et tu sais combien je déteste les bruits désagréables.

– Vous n'oseriez pas, tenta le type.

– Je crois finalement que tu as raison, dit Francis, s'adressant toujours à Sunny. Il ne semble vraiment pas vouloir comprendre. Alors, vas-y, opère-lui une petite soustraction.

Sunny regarda l'homme en souriant méchamment, comme s'il était tout à fait heureux d'entendre ces paroles.

– Non, non, ne faites pas ça. Moi je n'y étais pour rien. C'est l'autre qui l'a étranglée.

– Ah bon, voilà qui est mieux. On semble vouloir être coopératif maintenant.

– Merde, dit Sunny, prenant un air déçu.

– Ne sois pas grossier en présence de ce monsieur, dit Francis. Il va maintenant avoir la gentillesse de nous raconter ce qui s'est passé, n'est-ce pas?

– Nous étions dans la pénombre au début de la ruelle, en train de *sniffer* une ligne de coke quand nous avons entendu des pas qui semblaient féminins s'approcher de l'ouverture de la ruelle. Nous nous sommes immobilisés et avons attendu en silence. Quand la fille passait devant la ruelle, Frank s'est élancé dans sa direction et l'a attirée dans le noir. Elle s'est mise à crier et Frank l'a étranglée pour la faire taire. C'est tout, je le jure.

– Personne ne vous a engagés pour vous en prendre à elle? Tu en es certain?

– Non, personne ne nous a engagés. C'est arrivé par hasard. Pourquoi nous aurait-on demandé cela ?

– Tu vas venir nous montrer où ça s'est passé, dit Francis, évitant de répondre à la question de l'homme.

– Non, je n'irai pas là avec vous, refusa-t-il.

Le visage de Sunny s'éclaira alors d'un sourire qui semblait vouloir montrer le plaisir immense que le refus de collaborer du type lui ferait.

– D'accord, d'accord, je vais y aller, céda alors immédiatement l'homme.

Sunny rangea son revolver dans l'étui d'aisselle qu'il portait sous son veston léger. Ils se levèrent ensuite tous trois et quittèrent le restaurant. L'homme les conduisit dans la ruelle adjacente. Une fois qu'ils furent rendus sur place, il dit :

– C'est ici.

Dans la pénombre, on voyait plus loin deux ou trois bacs à déchets.

– C'est là que vous avez jeté son corps ? demanda Francis.

– Oui, c'est là que Frank l'a mise.

– Donne-moi ton portefeuille, dit Francis en tendant la main.

L'homme jeta un regard inquiet en direction de Sunny. Celui-ci lui répondit par un sourire méchant. Le type jugea sans doute qu'il était préférable de ne pas rouspéter. Il sortit immédiatement son portefeuille et le tendit à Francis. En l'ouvrant, le détective découvrit une vingtaine de billets de banque américains de mille dollars.

Tiens, tiens, il semblerait que vous avez découvert la petite fortune que votre victime avait avec elle. Le hasard fait parfois bien les choses, n'est-ce pas ? Évidemment, tout dépend de quel côté on se place.

Il tendit les billets à Sunny, qui les prit, les examina et les mit dans sa poche en disant :

– Je vais les restituer à leur propriétaire original.

– Vous n'avez pas le droit, tenta l'homme.

– Je crois que tu n'es pas en position pour discuter de droit avec nous, lui fit remarquer Francis. Même si tu nous assures que c'est ton copain Frank qui est responsable de tout, il semble bien que tu aies quand même largement profité de ce qui s'est passé. Il a été gentil Frank de partager avec toi, simple spectateur que tu étais, tu ne trouves pas ?

– Ça s'est passé comme je l'ai dit, affirma à nouveau l'homme, sentant monter la tension.

– Je ne te crois pas du tout, répondit Sunny.

Il sortit son pistolet et le pointa en direction du visage du type. Figé de peur, l'homme réussit tout de même à articuler :

– Vous n'oseriez pas tirer sur moi ici. Le bruit attirerait l'attention.

– Allons, tout le monde dans ce genre de quartier sait qu'on a intérêt à se mêler de ses propres affaires. Personne n'osera venir voir ce qui se passe. Et même si on nous voyait, personne n'oserait en témoigner.

Sunny baissa rapidement son arme en gardant son bras tendu.

Quand le pistolet pointa vers le pied gauche de l'homme, il appuya sur la détente en disant :

– Ça c'est en souvenir de la pauvre fille que vous avez tuée.

Immédiatement après le bang de la détonation, le type tomba par terre en gémissant et se tint le pied blessé à deux mains.

– Tu avais raison, dit Sunny à Francis. Il couine en effet comme un porcelet qu'on égorge.

– Allons-nous-en. Nous n'avons plus rien à faire ici, fit Francis.

Les deux détectives quittèrent la ruelle laissant l'homme à son sort. Ils retournèrent directement à l'endroit où l'auto de Sunny était stationnée. Une fois arrivé à l'étincelante Mercedes décapotable, Francis demanda :

– Est-ce que tu me laisses conduire ton auto ce soir ? J'aimerais beaucoup l'essayer.

Après un moment d'hésitation, Sunny avait répondu :

– Je te l'ai déjà dit, je ne laisse personne la conduire.

– C'est dommage, fit Francis, j'aurais bien aimé. Et, tu sais, je conduis très prudemment lorsque je suis à l'étranger.

Sunny n'avait pas répondu et s'était installé au volant. Il conduisit jusqu'à l'hôtel où logeait Francis pour l'y déposer. En cours de route, l'air un peu embarrassé, le détective privé singapourien avait déclaré :

– Écoute Francis, je constate que tu n'as rien à voir avec ce qui est arrivé à Magdalene Gwee et je dois m'excuser pour en avoir douté.

– Oublions cela, répondit Francis. Tu n'as pas à t'excuser de bien faire ton travail.

Chapitre 13
Dans la tanière du tigre

Le lendemain de leur rencontre avec un des agresseurs de Magdalene Gwee, Francis et Sunny avaient passé la journée à voir des informateurs que le détective privé singapourien utilisait à l'occasion. Maintenant qu'ils avaient les noms des deux hommes qui étaient derrière la Société du tigre blanc, ils pouvaient tenter de recueillir des informations les concernant. La récolte avait été peu fructueuse. À peine avaient-ils pu apprendre que Terence Tan et Steven Hoh étaient proches des triades locales et qu'il n'était pas bon de se les mettre à dos. Cela expliquait sans doute pourquoi les informateurs en connaissaient ou acceptaient d'en révéler si peu à leur sujet. Sunny avait bien tenté de forcer la main à un ou deux d'entre eux, mais sans succès.

Après une journée aussi décevante, Sunny proposa à Francis de l'amener manger dans un autre restaurant réputé qu'il connaissait, histoire de leur remonter le moral. Francis eut donc le bonheur de goûter à d'autres excellents mets orientaux. Ils prirent ensuite deux ou trois verres qu'ils sirotèrent en discutant de leurs méthodes d'enquête respectives si bien qu'à leur sortie du restaurant il faisait nuit noire. Lorsqu'ils arrivèrent à la Mercedes de Sunny, celui-ci sortit ses clés, parut réfléchir un moment, puis les tendit à Francis.

Le visage du détective privé canadien s'éclaira et il saisit les clés sans hésiter en disant :

– Ne t'inquiète pas, je vais en prendre soin comme si c'était une porcelaine chinoise irremplaçable.

C'était donc Francis qui était au volant alors qu'ils se dirigeaient vers son hôtel. Après avoir roulé pendant trois ou quatre minutes et avoir jeté un coup d'œil à quelques reprises dans le rétroviseur, Francis déclara :

– Je crois bien que nous sommes suivis.

Sunny se retourna et constata qu'en effet une spacieuse automobile noire à bord de laquelle prenaient place quatre hommes, semblait suivre le même itinéraire qu'eux.

– Assurons-nous qu'il ne s'agit pas d'un hasard, proposa Sunny. Tourne à gauche à la prochaine intersection.

Francis obéit et la voiture noire resta derrière eux.

– Je tourne à droite ici, déclara Francis.

De nouveau, la voiture derrière eux les imita.

– Pas de doute maintenant : nous sommes bel et bien suivis, fit Sunny.

– Je vais essayer de les semer, dit Francis en appuyant sur l'accélérateur.

L'auto répondit immédiatement en bondissant littéralement. Les poursuivants accélérèrent eux aussi et leur voiture resta à peu de distance. Ils circulaient sur une artère à deux voies dans chaque direction et, bientôt, la route fut obstruée par des automobiles arrêtées à un feu de circulation. Au lieu de s'arrêter, Francis déboîta vers la gauche pour se retrouver en sens inverse de la circulation. Le conducteur d'une automobile qui se présenta face à eux après avoir tourné de l'artère perpendiculaire, klaxonna furieusement et réussit de peu à éviter la collision. Francis ramena alors la Mercedes de Sunny dans le bon sens de la circulation.

– Mon auto! avait lancé Sunny au moment où il avait cru l'impact inévitable.

– C'est passé près, commenta Francis.

– Je ne te le fais pas dire, répondit Sunny. Et nous sommes toujours poursuivis. Je savais que ce n'était pas une bonne idée de te laisser conduire mon auto.

– Ne t'en fais pas, elle n'est pas abîmée. Je vais semer ces types sans lui faire la moindre égratignure.

– Je t'avoue que je commence à en douter quelque peu.

Sunny venait à peine de prononcer ces mots que Francis braqua soudainement les roues au maximum vers la gauche. Leur auto effectua un tête à queue et se retrouva en direction inverse. Francis repartit en trombe, croisant leurs poursuivants. Quelques intersections plus loin, il freina brusquement et tourna à droite. Jetant alors un coup d'œil au rétroviseur, il eut la surprise de constater qu'ils étaient toujours poursuivis.

– Il va falloir jouer encore plus serré, dit-il. Il y a longtemps que je ne me suis pas autant amusé.

– Je regrette de ne pouvoir en dire autant, fit Sunny.

Voyant la route obstruée à nouveau à un feu de circulation, Francis obliqua cette fois-ci vers la droite et monta sur le large trottoir qui longeait l'avenue. Les quelques piétons qui y circulaient s'égaillaient de part et d'autre de l'auto qui avançait vers eux à bonne vitesse. Une jeune femme surgit de derrière l'édifice formant le coin de rue. Quand elle vit la Mercedes noire foncer vers elle, elle lança un cri de terreur et resta figée sur place. Pour l'éviter, Francis braqua soudainement et heurta une borne-fontaine qui lacéra l'aile avant gauche au passage.

– Mon auto, je le savais, se lamenta Sunny.

– Finalement, je crois qu'elle ne s'en tirera pas tout à fait indemne, dit Francis. Mais tu verras, un petit lifting et rien n'y paraîtra.

– Et tu n'as même pas réussi à les semer, répondit Sunny.

En effet, la voiture des poursuivants était toujours derrière eux. Francis tourna alors dans une ruelle sombre et étroite. Après avoir parcouru une cinquantaine de mètres, il découvrit que, droit devant, un conteneur à déchets de grand format causait un goulot d'étranglement laissant à peine suffisamment d'espace pour le passage d'une auto. Il fonça malgré tout et, cette fois-ci, c'est tout le côté droit de la Mercedes qui fut labouré par le mur de briques d'un bâtiment.

– Merde, dit Sunny.

Les poursuivants se frottèrent eux aussi au mur de briques, mais ils réussirent à passer également. Émergeant de la ruelle, Francis s'engagea sur l'avenue qui s'ouvrait devant lui pour, peu après, tourner à nouveau dans une autre ruelle sombre. Cette fois-ci, il eut la surprise de constater qu'il s'agissait, en fait, d'un cul-de-sac et il dut immobiliser le véhicule. Derrière eux, les phares d'une auto pointaient dans leur direction. Les deux détectives privés descendirent de leur véhicule, regardant, aveuglés, dans la direction de ceux qui en avaient après eux. Jetant un regard noir en direction de son confrère, Sunny déclara :

– S'ils ne te tuent pas, c'est moi qui vais le faire.

– Est-ce que je dois te souhaiter qu'ils t'évitent cette peine? tenta de plaisanter Francis, en guise de réponse.

– Restez où vous êtes, levez les mains en l'air et fermez-la, dit une ombre située à côté de la voiture dont les phares les aveuglaient.

Francis et Sunny obéirent et virent approcher deux hommes, armés chacun d'un pistolet.

– Fouillez-les, dit celui qui donnait les ordres et qui était resté en retrait.

Les deux hommes fouillèrent les détectives privés, découvrant le revolver que portait chacun d'eux. Ils s'en emparèrent.

– Vous pouvez maintenant baisser les bras. Soyez sans crainte, il ne vous arrivera rien si vous faites ce qu'on vous dit, déclara le chef.

Il poursuivit :

– Sunny Thong, tu peux remonter dans ta voiture. Mais ne t'avise pas d'essayer de nous suivre. Je vais d'ailleurs prendre mes précautions en ce sens.

Il regarda un de ses hommes et dit :

– Occupe-toi de ses pneus.

Il se tourna ensuite vers Francis :

– Toi, tu viens avec nous.

Francis ne bougea pas, échangeant un regard avec Sunny.

– Toi, je t'ai dit de monter à bord de ton auto, répéta le type à l'adresse de Sunny. Ne mets pas ma patience à l'épreuve.

Sunny regarda à nouveau en direction de Francis. Celui-ci hocha la tête, voulant signifier qu'il n'y avait pas autre chose à faire. Le détective singapourien obéit à contrecœur. À ce moment, deux hommes s'approchèrent de Francis, le saisissant chacun par un bras et l'emmenèrent vers leur véhicule. Ils le firent asseoir entre eux sur la banquette arrière.

Le type chargé de s'occuper de la voiture de Sunny fit le tour du véhicule et, avec un couteau, lacéra chacun des pneus. Ayant terminé sa besogne, il revint s'asseoir derrière le volant de l'auto dans laquelle Francis était retenu. Le chef prit place sur l'autre siège avant.

Ils firent marche arrière et sortirent de la ruelle. Ils roulèrent pendant une quinzaine de minutes. Francis eut l'impression qu'ils arrivaient à proximité des docks. Ils s'immobilisèrent finalement à côté d'un entrepôt de tôle ondulée, qu'il trouva sombre et lugubre. Le conducteur éteignit les phares et coupa le contact. Francis fut alors poussé à l'extérieur de la voiture.

Peut-être à cause de l'obscurité qui régnait tout autour, l'entrepôt ne sembla à Francis muni d'aucune fenêtre. Aucune lumière ne filtrait de l'intérieur. La façade du bâtiment était percée de deux immenses portes de garage. En façade également, près du coin droit, se trouvait une troisième porte, de beaucoup plus faibles dimensions, destinée aux piétons. C'est vers cette dernière porte que ses ravisseurs emmenèrent Francis.

Dès qu'il fut entré, celui-ci constata que, contrairement à ce qu'il lui avait d'abord semblé, l'intérieur était éclairé, bien que parcimonieusement. Devant les portes de garage, deux chariots élévateurs étaient stationnés. L'entrepôt était rempli de marchandises diverses empilées sur des palettes de bois, palettes elles-mêmes empilées sur trois ou quatre de hauteur et disposées en rangées séparées par des allées assez larges pour laisser le passage aux chariots élévateurs.

À droite, au fond de l'entrepôt, on pouvait distinguer une pièce dont les murs étaient, comme ceux de l'entrepôt, de tôle ondulée. Au-dessus de cette pièce, il y avait ce qui semblait être un bureau, puisque les deux côtés donnant sur l'entrepôt étaient essentiellement composés de fenêtres à partir de leur mi-hauteur. On pouvait donc y avoir une vue d'ensemble de l'intérieur du bâtiment. Ce bureau attirait l'attention dès qu'on entrait dans l'entrepôt parce que c'en était la seule partie bien éclairée. C'est d'ailleurs dans cette direction que les quatre inconnus emmenèrent Francis.

La porte du bureau donnait sur une galerie à laquelle on pouvait accéder par un escalier plutôt raide fait de bois brut. Tous le gravirent et pénétrèrent l'un après l'autre dans le bureau bien éclairé. Une fois à l'intérieur, Francis découvrit que cette pièce, faute d'être luxueuse, était plutôt spacieuse. Il découvrit également, et surtout, que, droit devant lui, un homme était assis dans un fauteuil et le regardait entrer. Cet homme n'était nul autre que Steven Hoh. À proximité de lui, prenant place sur un autre fauteuil, un autre homme le dévisageait. Il était lui aussi de race chinoise et arborait une fine moustache aux pointes tombantes ainsi que de longs cheveux noirs et lustrés qu'il portait attachés en catogan. Francis se rappela l'avoir déjà vu quelque part, mais il n'aurait su dire où.

– Bonsoir monsieur Bastien, dit Steven Hoh. Laissez-moi vous présenter mon associé Terence Tan.

– Bonsoir messieurs, je n'ai pu résister au plaisir de venir vous rendre visite.

– Je crois que nous avons un peu insisté pour vous avoir avec nous, car nous pensons qu'il est grand temps que nous ayons une conversation sérieuse avec vous, déclara Steven Hoh.

– Je ne demande pas mieux, approuva Francis.

– Alors, assoyez-vous je vous en prie.

Steven Hoh désignait un fauteuil placé face à ceux que son associé et lui occupaient. Le détective privé y prit place. Il remarqua que deux des hommes qui l'avaient kidnappé étaient sortis de la pièce. Les deux autres s'étaient assis sur un canapé placé en retrait.

– Il semble que vous vous intéressez beaucoup à nous, monsieur Bastien. Vous venez d'abord me relancer au bureau en compagnie de monsieur Thong et ensuite vous parcourez la ville en tous sens en posant des questions à notre sujet.

– Je constate que vous êtes bien informés.

– Dans notre métier, il faut l'être, monsieur Bastien. Et c'est justement pour cette raison que nous vous avons « invité » ici. Nous aimerions d'abord savoir comment vous avez appris où se trouvent nos nouveaux bureaux.

– Eh bien, maintenant que Madeleine Gwee est morte, je crois pouvoir, sans craindre pour elle, vous apprendre qu'elle m'a révélé votre numéro de téléphone. À partir de ce numéro, mon coéquipier n'a eu aucune difficulté à retracer votre adresse.

– Je dois vous avouer que nous le savions déjà. Je voulais tout simplement savoir si vous êtes disposé à jouer franc jeu avec nous, et il semble bien que ce soit le cas. Sachez monsieur Bastien que mademoiselle Gwee nous avait contactés avant de vous fixer un rendez-vous. C'est nous qui lui avons dit de vous rencontrer et de vous confier ce numéro de téléphone. La raison pour laquelle nous avons agi ainsi est que nous commencions à nous dire qu'il serait sans doute intéressant d'avoir l'occasion de vous parler en toute franchise. Toutefois, l'indiscrétion de votre coéquipier m'a fait perdre patience lors de votre visite à nos bureaux et j'ai préféré remettre à plus tard l'entretien que je désirais avoir avec vous.

– Je suis simplement un détective privé engagé pour mener une enquête. Dans la mesure où je ne mets pas mes sources en danger, je n'ai rien à vous cacher et, comme vous le dites, je suis tout à fait disposé à jouer franc jeu.

– Dans ce cas, monsieur Bastien, vous ne verrez sans doute aucun inconvénient à nous dire pourquoi vous vous intéressez tant à nous, reprit Steven Hoh.

– Comme mon coéquipier et moi vous l'avons déjà dit lorsque nous vous avons rendu visite, nous nous intéressons à la série de mystérieux assassinats de jeunes adeptes de jeux vidéo un peu partout dans le monde. De mon côté, je m'intéresse plus particulièrement au cas de Stefan Varady, un jeune informaticien canadien qui a été abattu il y a quelques semaines à peine. Sa sœur m'a engagé pour faire la lumière sur sa mort. Elle ne croit aucunement aux conclusions de la police attribuant son assassinat à une dette de drogue.

– C'est une femme très perspicace. J'admire les femmes perspicaces.

– Vos paroles laissent entendre que les raisons de l'assassinat de Stefan Varady ne vous sont pas inconnues, monsieur Hoh.

– Je sais effectivement qu'il n'est pas mort à cause d'une dette de drogue. Je dirais que sa mort est plutôt due à une dette de jeu.

– C'est curieux, car on a découvert un compte de banque en dollars américains dans lequel il détenait une somme suffisamment importante pour régler une telle dette, à moins évidemment qu'elle fût vraiment énorme.

– En effet, je crois que la dette qu'il avait contractée pourrait être qualifiée d'énorme. Voyez-vous, monsieur Bastien, certains jeunes adeptes de jeux vidéos demandent toujours des sensations de plus en plus fortes. Plusieurs d'entre eux ont de bons revenus et sont prêts à payer des sommes importantes pour s'offrir ces sensations fortes. Et c'est précisément ce que la Société du tigre blanc leur offre : des sensations encore plus fortes que le parachute, le deltaplane, l'alpinisme en haute montagne ou même le *bungee* peuvent leur offrir.

Sans oser l'interrompre, de peur qu'il ne les reprenne pas, Francis écoutait attentivement Steven Hoh faire ces révélations. Terence Tan, resté jusque-là silencieux, suivait également la conversation en demeurant impassible. Steven Hoh continua :

– Sur notre site Internet, les jeunes ont accès à des jeux de grande qualité et au degré de difficulté très élevé. Ce sont donc les meilleurs que nous attirons. Les jeux qui leur sont offerts sont, en fait, des duels où ils combattent l'un contre l'autre. Et aux meilleurs d'entre eux, nous offrons le summum des jeux électroniques : le jeu ultime. Ce jeu n'est disponible qu'à ceux qui ont réussi à se qualifier en remportant plusieurs parties. Avant de pouvoir participer à une joute de Jeu ultime, les duellistes doivent déposer, en dollars américains, une somme relativement importante qui constitue une partie de leur pari. Après le duel, le gagnant reçoit une partie de la somme pariée par le perdant. Nous conservons une autre partie de cette somme, qui constitue notre bénéfice.

– Vous laissez entendre qu'il reste encore une partie du pari, intervint Francis.

– En effet, monsieur Bastien. Nous utilisons la somme qui reste pour obtenir du duelliste perdant le solde de son pari.

– Je commence à deviner de quel solde il s'agit.

– Il s'agit en effet de sa vie, monsieur Bastien. Car, c'est bien là ce que ces jeunes en mal de sensations fortes parient. Chacun est tellement certain de sa propre supériorité qu'il est persuadé de ne pas la perdre. Mais, forcément, à chaque fois, un des deux duellistes en présence est défait. Et, nous utilisons une partie de la somme qu'il a pariée pour embaucher un tueur à gages qui va lui faire régler le solde de son pari.

– C'est terrible. Vous faites exécuter sans autre forme de procès ces jeunes qui sont peut-être un peu écervelés et qui ont sans doute présumé de leurs capacités.

– Ce sont des gens qui ont tous atteint l'âge adulte et qui sont prêts à tout pour s'offrir des frissons. Nous leur rendons tout simplement ce service.

– Et comment les recrutez-vous?

– Ils se transmettent notre adresse Internet de bouche à oreille, souvent lors des congrès d'informatique qui se tiennent maintenant dans toutes les grandes villes de la planète.

– Et Stefan Varady a perdu un duel de jeu ultime?

– Effectivement monsieur Bastien. Stefan Varady a parié et il a perdu. Tout cela n'est-il pas de la plus grande honnêteté?

– Ne me demandez pas d'approuver ce genre d'activité, monsieur Hoh.

– Je ne le vous demande aucunement, monsieur Bastien. Je vous ai tout simplement révélé ce que vous désiriez savoir. En contrepartie, il y a certaines questions que vous pourriez nous aider, mon associé et moi, à résoudre.

– Quelles sont ces questions? monsieur Hoh.

– En premier lieu, nous nous demandons comment il se fait que vous ne saviez pas déjà à quoi vous en tenir à notre sujet.

– Je ne comprends pas où vous voulez en venir.

– Le fait est, monsieur Bastien, que tout comme Stefan Varady, vous avez été l'objet d'un contrat de mort, car vous aussi avez joué et perdu. Mais il semble que vous ayez, à quelques reprises, réussi à échapper au tueur qui était chargé de vous faire régler votre pari.

– C'était donc cela !

Francis était abasourdi d'entendre cette révélation. Il resta un moment sans parler, réfléchissant aux implications de ce qu'il venait d'apprendre. Reprenant la parole, il déclara :

– Je ne m'y connais absolument pas en jeux vidéo. Comme je vous l'ai déjà dit, j'ai à peine pu avoir un aperçu de ce que vous offrez aux adeptes de jeux qui fréquentent votre site quand un jeune informaticien, confrère et ami de Stefan Varady, m'en a fait une brève démonstration.

– Oui, vous aviez déjà abordé la question lors de notre précédente conversation. C'est ce qui m'a incité à interrompre, au moins temporairement le contrat dont vous faisiez l'objet. Je dois dire que le tueur impliqué dans cette affaire était un peu déçu de cette décision, car il sent sa compétence remise en question à cause des échecs répétés qu'il a subis jusqu'à maintenant.

– Quand vous en aurez l'occasion, dites-lui que je compatis avec lui, plaisanta Francis.

– Peut-être aurez-vous bientôt l'occasion de lui faire part de votre compassion vous-même. intervint alors Terence Tan.

Francis saisissait bien la menace derrière ces paroles.

– Ces parties qu'un ami de Stefan Varady a jouées pour vous faire une démonstration se sont-elles déroulées sur votre ordinateur ? intervint immédiatement Steven Hoh.

– Oui, elles ont été disputées sur l'ordinateur de mon bureau.

– C'est à ce moment qu'il vous a inscrit comme joueur en règle ?

– Je crois que oui. Il m'a dit que je devais m'inscrire afin qu'il puisse me faire une démonstration.

– Je ne vois alors qu'une explication : comme ces deux parties qu'il a jouées devant vous étaient insuffisantes pour vous qualifier pour le jeu ultime, il a trouvé le moyen de jouer un certain nombre d'autres parties en votre nom. Et, toujours en votre nom, il a disputé une partie de jeu ultime, qu'il a perdue.

– J'y pense, dit Francis, la même chose a très bien pu se produire pour Stefan Varady.

– C'est possible. De toute évidence, il va falloir que mon associé et moi revoyions les mesures prises actuellement pour nous assurer de la bonne identification des joueurs.

– Je ne puis qu'être d'accord avec vous là-dessus.

– Et comment s'appelle ce jeune homme qui vous aurait joué ce vilain tour ?

– Il s'appelle Steve Beaupré.

– Très bien, nous prenons note de tout cela. Nous pouvons maintenant passer au dernier point qui nous intéresse : il s'agit de mademoiselle Gwee. Cette jeune femme nous a été très utile lorsqu'elle travaillait pour nous. Et elle a été très fidèle, puisqu'elle nous a prévenus que vous vous intéressiez à nous. Vous comprendrez donc que nous avons été choqués de ce qui lui est arrivé.

– Je l'admets volontiers, approuva Francis.

– En fait, il lui est arrivé malheur juste après sa rencontre avec vous et vous répondez bien à la description du suspect recherché par la police dans cette affaire. Cela a de quoi nous laisser songeurs, ne trouvez-vous pas ?

Comprenant maintenant où Steven Hoh voulait en venir, Francis répondit :

– Je n'ai rien à voir avec ce qui est arrivé à Magdalene Gwee, sinon que j'aurais dû insister davantage pour la raccompagner chez elle. Ce sont deux petits voyous qui l'ont agressée et volée.

Francis raconta alors la rencontre que Sunny et lui avaient eue avec un des deux types en question. Il donna les noms et descriptions des deux voyous et dit qu'ils avaient sans doute l'habitude de fréquenter le restaurant-bar où Magdalene Gwee lui avait fixé rendez-vous.

– Vous pouvez facilement vérifier mes dires, conclut le détective privé.

– Soyez certain que nous le ferons, monsieur Bastien. Il vous faut être conscient que votre sort dépend du résultat de ces vérifications.

Pour la seconde fois, Terence Tan intervenait dans la conversation et c'était à nouveau pour lui faire des menaces.

– Jusqu'à ce que nous soyons fixés, vous allez bénéficier de notre hospitalité, dit Steven Hoh à son tour.

Il fit ensuite un geste en direction des deux hommes de main qui avaient assisté à l'entretien. Ils se levèrent et dirent à Francis de les accompagner. Ils le firent sortir du bureau et redescendre l'escalier raide qui y menait. Ils n'allèrent toutefois pas loin puisqu'ils s'arrêtèrent devant la porte de la pièce située sous le bureau. Cette porte était verrouillée par un cadenas et était dotée de ferrures de dimensions respectables. Un des deux hommes qui accompagnaient Francis sortit une clé de sa poche et ouvrit le cadenas. Une fois la porte ouverte, Francis fut poussé à l'intérieur de la pièce. La porte fut refermée immédiatement derrière lui et il entendit le bruit du cadenas qu'on verrouillait.

La pièce dans laquelle il se trouvait était relativement grande et elle était éclairée par une puissante ampoule nue qui pendait du plafond. La seule ouverture en était la porte et toutes les parois étaient de tôle ondulée. Au centre, il y avait une vieille table entourée de quatre chaises et, contre une des parois, se trouvait un canapé fatigué qui avait déjà dû meubler le salon de quelqu'un manquant de goût. Dans un coin de sa prison étaient empilées une trentaine de palettes de manutention vides.

Peu après avoir été emprisonné, Francis entendit des bruits de pas descendant l'escalier depuis le bureau de l'étage supérieur. Par la suite, il n'entendit plus rien, même en tendant l'oreille. Il se dit qu'il n'y avait sans doute plus personne dans la pièce du dessus. Steven Hoh et Terence Tan devaient être partis, avec leurs hommes de main, pour vérifier ce qu'il leur avait dit.

Francis pensa que les assassins de Magdalene Gwee pouvaient très bien être introuvables, surtout après ce qui s'était passé la veille lorsque lui et Sunny avaient rencontré l'un d'eux. Ils savaient maintenant que leur crime était connu de quelqu'un et il était fort possible qu'ils disparaissent de la circulation pendant un certain temps. Par ailleurs, même si les gens de la Société du tigre blanc retrouvaient les deux voyous, peut-être ceux-ci raconteraient-ils une histoire inventée de toutes pièces, histoire qu'ils avaient probablement eu le temps de mettre au point. Et, peut-être Steven Hoh et Terence Tan goberaient-ils cette histoire.

Dans un cas comme dans l'autre, Francis risquait de se retrouver en fort mauvaise posture au retour de ses ravisseurs. Il se dit qu'il serait sans doute préférable pour lui de ne pas les attendre, si cela était possible. Afin de vérifier si quelqu'un avait été laissé dans l'entrepôt pour le surveiller, il se dirigea vers la porte de sa prison et se mit à y frapper vigoureusement. Cela lui permit de constater que la porte était, de toute évidence, très résistante et que quelqu'un avait effectivement été laissé sur place pour assurer sa garde, puisqu'on lui cria de se tenir tranquille.

Ayant appris ce qu'il voulait savoir, il cessa de s'intéresser à la porte. Les cloisons de tôle ondulée étaient certainement aussi très résistantes et, de toute façon, s'il tentait de s'y attaquer, il ferait inévitablement un tintamarre qui attirerait l'attention de son ou ses geôliers. Restait le plafond. Levant les yeux, Francis vit qu'il était fait de lattes de bois entre lesquelles un léger interstice avait été laissé.

Le prisonnier jugea qu'il valait la peine d'examiner cela de plus près. Il entreprit donc d'aller chercher quelques-unes des palettes de bois entreposées dans un coin de la pièce et de les empiler sur la table qui meublait l'endroit. Lorsqu'il jugea qu'il lui serait possible d'atteindre le plafond, qu'il estimait à une hauteur de plus de trois mètres, il grimpa sur l'empilement. Il constata alors que, comme il le lui avait semblé, le plafond était bel et bien le point faible de sa geôle.

Il retourna vers le tas de palettes et, après y avoir farfouillé quelques instants, mit la main sur une planche qui lui sembla être d'une essence de bois relativement dure et qui ne tenait plus que par un clou à la palette dont elle faisait partie. Il tira dessus et réussit assez facilement à libérer la planche. Il retourna sur l'empilement qu'il avait érigé et entreprit de s'attaquer au plafond en utilisant la planche comme levier.

Puisque les lattes étaient amincies près de leurs extrémités latérales, il réussit, sans trop de difficulté, à introduire la planche entre deux rangs. Il se mit à chanter à tue-tête afin de couvrir les bruits de craquement qui se produisirent lorsqu'il parvint à arracher un bout de latte entre deux solives. Il répéta la manœuvre à quelques reprises, si bien que, après une quinzaine de minutes d'efforts, il finit par avoir dégagé une ouverture d'environ quarante centimètres de longueur sur autant de largeur. Cela serait certainement suffisant pour lui permettre de passer.

Mais il restait à Francis à s'attaquer au plancher de la pièce du dessus. Par l'ouverture qu'il avait réussi à pratiquer, il pouvait constater que celui-ci était fait de panneaux de contre-plaqué. Sa nouvelle tâche serait certainement beaucoup plus ardue que la précédente. Il retourna à l'amas de palettes. Il agrippa une planche et tira vers lui avec force, réussissant à en soulever une extrémité. En continuant à tirer en diagonale, la planche finit par se séparer de la dernière traverse à laquelle elle tenait, mais les deux clous qui la fixaient à celle-ci restèrent dans la planche, pointant directement devant son extrémité.

Satisfait du résultat, Francis retourna grimper sur l'empilement qu'il avait installé et utilisa la planche et ses clous comme un outil pour gratter sous le plancher du dessus. Il réussit à travailler sans faire trop de bruit. Lentement, patiemment, petit copeau par petit copeau, il finit par pratiquer une très petite ouverture dans le panneau de contre-plaqué, dénudant une petite surface du vinyle utilisé comme couvre-plancher là-haut. Il poussa sur le vinyle avec un clou, y perçant un jour. Il fallait maintenant agrandir cette minuscule ouverture. Francis continua donc patiemment son travail.

Après plus de trois heures de ce labeur, il était en sueur et avait les bras ankylosés, mais il avait réussi à pratiquer une ouverture qu'il jugea suffisante pour lui livrer passage. Il s'agrippa donc aux rebords de l'ouverture et, malgré la douleur qu'il ressentait dans ses membres, il réussit à se hisser dans la pièce du haut. Il resta alors étendu sur le plancher un moment, se disant qu'un peu de repos lui ferait grand bien. Mais, se ravisa-t-il aussitôt, il lui fallait quitter cet entrepôt le plus rapidement possible. Steven Hoh et Terence Tan pouvaient revenir à tout moment avec leurs hommes de main.

Il se releva lentement jusqu'à ce que ses yeux atteignent le bas d'une des fenêtres donnant sur l'intérieur de l'entrepôt. Il n'y vit personne. Il doutait cependant que l'homme ou les hommes laissés pour le garder soient partis. Il espérait qu'il y en ait seulement un car, malgré l'avantage de la surprise, il lui serait difficile d'affronter deux hommes armés. Il eut alors l'idée d'aller fouiller dans les tiroirs du petit bureau meublant la pièce où il se trouvait. Il fut surpris et heureux d'y découvrir les deux revolvers que lui-même et Sunny s'étaient fait confisquer lorsqu'on s'était emparé de lui. Les deux armes avaient même été laissées chargées !

Francis glissa un des deux revolvers dans sa ceinture et, gardant l'autre au poing, il s'avança, en restant accroupi, vers la porte du bureau dans lequel il se trouvait. Il entrouvrit celle-ci très lentement, craignant qu'elle n'émette quelque grincement. Quand l'entrebâillement fut suffisant pour le laisser passer, il se glissa sur le balcon de bois où prenait l'escalier. Il s'approcha de la balustrade et risqua un coup d'œil en contrebas. Il découvrit alors l'homme chargé de le garder. Il grillait une cigarette, assis sur un banc adossé à la pièce du bas, celle où on l'avait enfermé.

Francis entreprit alors, lentement, de se diriger vers l'escalier en gardant son arme pointée vers l'homme par-dessus la balustrade. Comme il s'engageait dans l'escalier, une marche grinça, attirant l'attention du garde. L'homme tourna la tête pour découvrir que son prisonnier pointait une arme vers lui.

– Ne bouge pas, lui enjoignit Francis d'une voix ferme.

– L'homme obéit.

Francis finit de descendre l'escalier et s'approcha du garde. Une fois en face de lui, il lui dit :

– Va ouvrir la porte de l'endroit où j'étais enfermé.

– Je n'ai pas la clef, répondit l'homme.

– J'hésitais entre t'enfermer ou t'abattre, alors la question est réglée, menaça Francis.

– Attends, elle est ici, se dépêcha à dire l'homme en sortant la clef de sa poche.

– Voilà qui est mieux.

Le type ouvrit et Francis lui dit d'entrer. Il comprit alors qu'on ne pouvait l'enfermer dans cette pièce, car il pourrait aisément sortir par la même issue qu'il avait lui-même empruntée. Bien sûr, il pouvait toujours faire sortir la table et les palettes par l'homme avant de l'enfermer, mais cela prendrait un certain temps et Francis était pressé de quitter les lieux. Il se décida alors à asséner un solide coup sur la nuque du type avec son pistolet. L'homme s'effondra, assommé.

Le détective privé s'élança alors vers la porte de l'entrepôt par laquelle on l'avait fait entrer. En voulant l'ouvrir, il vit qu'elle était fermée à clé. Il se dirigea alors vers les deux portes de garage et tenta de les ouvrir en pressant le bouton d'ouverture à proximité de chacune d'elles. Sans résultat. Son attention se porta alors sur les deux chariots élévateurs stationnés à proximité des portes. Il grimpa sur le plus près et fut soulagé de voir que la clé de contact y avait été laissée.

Le moteur démarra à la première tentative et Francis fit avancer le véhicule vers la porte juste en face en laissant glisser les fourches sur la surface bétonnée du plancher de l'entrepôt. À la deuxième tentative, il réussit à insérer les fourches sous la porte. Il commanda ensuite la montée des fourches, forçant la porte à s'élever de près d'un mètre dans un tintamarre de métal tordu.

L'abandonnant dans cette position, Francis sauta en bas du véhicule et se glissa hors de l'entrepôt par l'espace qu'il avait réussi à dégager.

Les environs du bâtiment étaient très sombres, mais le fugitif pouvait distinguer des lumières un peu plus loin sur les docks ainsi que vers le centre-ville au loin. Il choisit de se diriger dans cette direction, prenant pour guide les gratte-ciel illuminés. Après avoir marché pendant quelques minutes, il arriva dans un quartier populaire, à la limite des docks, où il y avait quelques bars et restaurants de piètre allure. Il entra dans l'un de ces établissements et demanda qu'on lui appelle un taxi.

Comme, heureusement, on lui avait laissé son portefeuille avec ses papiers, ses cartes de crédit et son argent, il put prendre un verre en attendant l'arrivée de la voiture. Il était en sueurs, ses vêtements étaient maculés de poussière et il avait déchiré sa chemise en passant par l'ouverture pratiquée dans le plafond de sa prison, mais son apparence négligée n'attirait pas vraiment l'attention dans ce genre d'établissement où des débardeurs devaient venir se désaltérer après le travail. Il songea qu'il devait prévenir au plus tôt Sunny qu'il avait réussi à échapper à ses ravisseurs. Il lui téléphona donc.

Son coéquipier fut heureux de le savoir libre. Malgré l'heure tardive, il était encore à son bureau, justement dans l'espoir d'avoir de ses nouvelles. Francis eut d'abord l'idée d'aller l'y rejoindre, mais il se dit ensuite qu'il était préférable de s'en abstenir puisque Steven Hoh et Terence Tan pouvaient très bien faire surveiller les accès au bureau dès qu'ils se rendraient compte qu'il leur avait faussé compagnie, sans compter qu'il était très possible qu'ils lancent à nouveau leur tueur à gages à ses trousses. Pour les mêmes raisons, il devait éviter de retourner à son hôtel. Mais où aller ? Il informa Sunny de ne pas l'attendre au bureau et se mit à réfléchir à la question.

Il pensa alors à ce fonctionnaire canadien qu'il avait rencontré dans l'avion l'amenant à Singapour et qui lui avait offert de l'aider en cas de besoin. S'il se rappelait bien, cet homme était descendu à l'hôtel Raffles. Francis téléphona donc à cet hôtel et demanda à être mis en communication avec la chambre de ce compatriote. L'homme répondit d'une voix ensommeillée. Le détective privé se présenta et lui rappela où ils s'étaient rencontrés, puis il continua :

– Je suis désolé de vous déranger à cette heure tardive, mais vous m'aviez dit que je pouvais vous contacter au besoin.

– Oui, je m'en rappelle très bien. Puis-je faire quelque chose pour vous ?

– Effectivement. Je suis dans le pétrin. Je ne peux pas vous donner de détails pour le moment, mais j'ai besoin d'une chambre d'hôtel et je ne peux pas m'enregistrer sous mon nom. Il n'est donc pas question pour moi d'utiliser une carte de crédit. Alors, vous serait-il possible de me réserver une chambre à votre hôtel ? Vous pourriez, par exemple, prétendre que c'est pour un membre de votre délégation qui était installé à un autre hôtel, mais qui n'y apprécie pas l'environnement bruyant. Je vous rembourserais en argent comptant. Si je me présentais moi-même sous un faux nom, donc sans pièce d'identité, sans avoir réservé et réglant la note comptant, cela éveillerait certainement la curiosité des employés de l'hôtel. Avec votre aide, je pourrais plus facilement passer inaperçu.

– Pas de problème mon vieux, répondit le fonctionnaire canadien. Ça va me faire plaisir de vous donner un coup de main. Je m'en occupe tout de suite. Vous n'avez qu'à passer à ma chambre à votre arrivée à l'hôtel et je vous remettrai la carte donnant accès à la vôtre.

– Très bien, je vous rembourserai par la même occasion. J'apprécie beaucoup votre aide.

– C'est tout naturel d'aider un compatriote dans le besoin lorsqu'on se trouve à l'autre bout du monde, conclut l'homme avant de raccrocher.

Le détective privé ne se fit pas conduire directement à l'hôtel Raffles par le taxi. Il se doutait bien que les hommes de main de Steven Hoh et Terence Tan allaient ratisser les débits de boisson des environs de l'entrepôt d'où il s'était évadé en s'informant si quelqu'un avait appelé un taxi vers l'heure de son évasion. Il se fit donc plutôt conduire vers un bar du centre-ville qu'il avait déjà remarqué en passant. Il descendit à cet endroit, marcha sur quelques pâtés de maisons, et héla un autre taxi qui passait. Cette fois-ci, il demanda d'être amené à l'hôtel Raffles. En cours de route, il se demanda ce qu'il pourrait bien raconter à son compatriote. Comme il ne trouvait pas de mensonge crédible, il se dit qu'il devrait, après tout, dire la vérité. L'homme comprendrait certainement la situation.

Lorsqu'il se présenta, comme convenu, à la chambre de l'homme qui avait accepté de l'aider, Francis s'excusa :

– Je pense que je vous ai réveillé tout à l'heure. J'en suis désolé, mais vous m'aviez si généreusement offert votre aide...

– Ne vous en faites pas pour cela. Ces conférences sont si ennuyeuses. Votre appel à l'aide aura mis un peu de piquant dans mon séjour.

Ayant été invité à s'asseoir, Francis accepta. Il se dit qu'il se devait, après tout, de satisfaire un peu la curiosité qu'il lisait dans le regard de son compatriote, curiosité sans doute encore exacerbée par le pitoyable état dans lequel il se trouvait. Il lui révéla donc être en réalité détective privé et, à cause de l'enquête qu'il menait, s'être mis à dos des gens influents associés aux triades locales.

– Je savais bien que vous n'étiez pas ce que vous prétendiez être, déclara l'homme d'un air joyeux comme s'il venait de gagner un pari. En tout cas, comptez sur moi pour ne parler à personne de votre présence ici à l'hôtel.

Après avoir encore remercié son bon samaritain, Francis lui remboursa la location de sa chambre pour les trois jours à venir et se fit remettre la carte magnétique permettant d'y accéder. Il ne tarda d'ailleurs pas à s'y rendre, exténué qu'il était après les péripéties de la soirée.

Chapitre 14
Cartes sur table

Le lendemain matin, Francis téléphona tôt au service aux chambres, donna ses pointures et demanda qu'on lui monte des vêtements. Une heure plus tard, on sonnait à la porte. C'était un groom en livrée qui lui apportait tout un assortiment de vêtements. Francis régla la note en billets de banque américains, gratifiant le jeune homme d'un généreux pourboire. Il se dit qu'il était heureux qu'il ait l'habitude de garder sur lui une somme assez rondelette. Mais, en ce moment, son portefeuille était pratiquement vidé.

En enfilant ses nouveaux vêtements, il fut agréablement surpris de constater qu'ils lui seyaient plutôt bien. De plus, les couleurs en étaient très bien assorties. Le groom avait bien mérité son pourboire.

Après avoir déjeuné au restaurant de l'hôtel, Francis prit un taxi pour se rendre à une banque où il pourrait retirer une somme suffisante pour subsister quelques jours. En cours de route, il changea de voiture à deux reprises, histoire de brouiller sa piste. Il n'avait pas le choix : à l'institution bancaire, il allait devoir transiger sous sa véritable identité. Il était donc possible que Steven Hoh et son associé en soient informés assez rapidement et parviennent à le retrouver.

Une fois son retrait effectué, il s'arrêta dans une cabine téléphonique pour téléphoner à Sunny. Par prudence, il n'osait pas lui téléphoner à partir de sa nouvelle chambre d'hôtel. Il l'avisa tout simplement qu'il avait trouvé à se loger, que tout allait bien et qu'il communiquerait à nouveau avec lui plus tard. En retournant à l'hôtel Raffles, il prit les mêmes précautions qu'à l'aller.

Il venait à peine d'entrer dans sa nouvelle chambre d'hôtel qu'il eut la surprise d'entendre résonner la sonnerie du téléphone. Il laissa sonner à quelques reprises, se demandant qui pouvait bien lui téléphoner à cet endroit. Il se dit ensuite que c'était probablement la réception de l'hôtel qui voulait régler quelque détail. Il se décida donc à répondre :

– Allô !

– Bonjour, monsieur Bastien.

Francis eut une sueur froide en entendant la voix de Steven Hoh.

– Monsieur Hoh, quelle mauvaise surprise, arriva-t-il quand même à dire.

– Pas tant que cela, fit son interlocuteur. Les choses ont évolué depuis notre rencontre d'hier soir.

– Quoi qu'il en soit, comment m'avez-vous retrouvé ?

– Ce fut très simple monsieur Bastien : mes hommes ont d'abord localisé le bar d'où vous avez demandé un taxi. Nous avons retrouvé le chauffeur, mais la démarche s'avéra vaine. Par contre, j'ai mes entrées à la compagnie de téléphone nationale et nous avons ainsi pu localiser les destinations des appels téléphoniques faits à partir du bar où vous étiez à peu près à l'heure à laquelle vous avez demandé un taxi. Nous avons donc relevé l'appel destiné à ce fonctionnaire canadien que vous connaissiez sans doute. Mes hommes n'ont eu ensuite qu'à vérifier quelles avaient été, hier soir, les nouvelles inscriptions à l'hôtel où loge ce fonctionnaire. Ils ont évidemment découvert que cet homme a lui-même réservé une chambre pour quelqu'un d'autre sous un quelconque prétexte. Et voilà tout…

– Malgré que j'en fasse les frais, permettez-moi de vous dire que j'admire votre efficacité, déclara Francis.

– Merci pour le compliment, monsieur Bastien. Quant à ce qui est de faire les frais de notre efficacité, je crois que vous faites erreur. Comme je vous le disais il y a un instant, les choses ont quelque peu évolué depuis notre précédente rencontre. Nous avons constaté que vous nous avez dit la vérité, du moins ce que vous en saviez. Par ailleurs, mon associé et moi ne vous tenons pas rigueur d'avoir quelque peu maltraité notre propriété et notre employé. Alors, sachez que vous n'avez plus rien à craindre de nous. Je crois cependant qu'il serait utile de nous rencontrer une dernière fois pour faire le point sur ce qui s'est passé.

– Vous comprendrez sans doute que j'éprouve quelque réticence à vous rencontrer à nouveau, monsieur Hoh.

– Réfléchissez monsieur Bastien : je savais où vous êtes sans que vous vous en doutiez. J'aurais très bien pu envoyer mes hommes vous chercher ou même vous exécuter si j'en avais eu l'intention. Je voudrais tout simplement vous voir une autre fois afin de vous donner les explications que je considère vous devoir après ce qui s'est passé. Je vous propose donc une rencontre seul à seul, cet après-midi, dans un petit café agréable que je connais. Je crois que vous y apprendrez de quoi conclure votre enquête. Cela ne serait-il pas intéressant pour vous ?

– Je dois dire que vos arguments sont convaincants. J'accepte donc.

Steven Hoh donna alors à Francis le nom ainsi que l'adresse du café où il l'attendrait. Aussitôt après avoir raccroché, le détective privé téléphona à son coéquipier pour l'informer des nouveaux développements.

– Quoi ? fit Sunny. Tu ne vas quand même pas aller rencontrer ce type seul !

– Oui, je vais y aller. Je crois, comme il me l'a assuré, qu'il n'y a pas de danger.

– Dis-moi où tu dois le rencontrer. Je vais envoyer quelqu'un qu'il ne connaît pas assister discrètement à votre entretien.

– Non. Je me suis engagé à le rencontrer seul et je vais tenir parole. Je crois que je peux me fier à la parole de cet homme et je ne veux pas lui donner d'occasion de douter de la mienne.

– Tu es cinglé, commenta Sunny.

– Au revoir, coupa Francis.

⁂

Steven Hoh avait raison : il s'agissait d'un petit café agréable. Il était tenu par un couple de Français qui avaient vécu quelques années sur l'île de la Réunion avant de venir s'installer à Singapour. L'homme était dans la soixantaine, mais il avait encore le torse puissant et des bras imposants. Son crâne était pratiquement dégarni et il avait un nez aplati de boxeur. Il était grand, faisant sans doute plus d'un mètre quatre-vingts et avait une voix tonitruante. Ce qui retenait le plus l'attention chez lui était la balafre qui marquait profondément sa joue gauche, du coin de la lèvre jusqu'à la naissance de l'oreille.

Lorsque Steven Hoh l'eut présenté à Francis, le Français discuta un peu avec lui, heureux de l'occasion qui se présentait d'échanger quelques mots dans sa langue maternelle. Mais il dut aller bientôt s'occuper de ses autres clients. Sa conjointe, qui paraissait sensiblement plus jeune que lui, se montra plus discrète et resta à l'écart. Quand le patron du café eut quitté leur table, Steven Hoh confia à Francis :

– On dit que cet homme a été mercenaire en Afrique et que sa balafre est un souvenir qu'il a rapporté du Katanga.

– En tout cas, je ne crois pas qu'il se la soit faite en se rasant, plaisanta Francis.

Steven Hoh sourit avant de dire :

– Vous avez tout à fait raison. Il faudrait qu'il soit vraiment très malhabile pour que ce soit le cas. Laissons là ces commérages.

Nous avons à nous entretenir de choses qui nous concernent davantage.

– Dans cet ordre d'idées, j'ai cru comprendre que vous avez retrouvé les deux hommes qui ont agressé Magdalene Gwee ?

– En effet, mes hommes les ont retrouvés grâce aux renseignements que vous nous avez donnés. Après le souvenir que votre coéquipier a laissé à l'un d'eux lorsque vous l'avez rencontré, ils faisaient preuve de prudence et ne se montraient plus au restaurant-bar que vous nous avez indiqué. Mais, une serveuse de l'endroit les connaissait et savait où logeait l'un d'eux.

– Vous avez bien dit « où logeait l'un d'eux » ? intervint Francis, ayant noté le temps du verbe.

– C'est bien ce que j'ai dit. Ces deux voyous ne s'en prendront plus aux jeunes femmes sans défense, soyez-en certain.

– Si je comprends bien, vous avez utilisé une méthode plutôt expéditive pour vous en assurer, fit remarquer Francis.

– C'est la seule méthode qui vaille avec les voyous de cette espèce.

– Quoi qu'il en soit, je ne crois pas que vous vouliez me voir pour me parler de ces deux hommes, monsieur Hoh.

– Exact, je ne vous ai pas demandé de venir ici pour cela, sinon pour vous dire que nous avons arraché à ces deux voyous quelques information. Il semble que mes hommes ont été plus persuasifs que vous et votre coéquipier, monsieur Bastien.

– Je n'en doute pas le moins du monde, monsieur Hoh. Et qu'ont-ils appris de plus que nous ?

– Ils ont appris que Magdalene Gwee connaissait l'un des deux hommes, le dénommé Frank. Elle se méfiait de vous et elle lui avait demandé d'assister discrètement à votre rencontre et de l'escorter par la suite. Pour se donner du courage, le type a demandé à son comparse de venir avec lui. Ne trouvez-vous pas cela ironique monsieur Bastien ? C'est celui qui devait assurer sa sécurité qui l'a assassinée ! Il semble que, pour son malheur, elle se soit trompée sur la personne à qui elle pouvait accorder sa confiance. Cette erreur lui aura coûté la vie.

– Ainsi, ces deux hommes devaient l'escorter : voilà qui explique pourquoi elle ne voulait pas que je la raccompagne après notre rencontre, réfléchit tout haut Francis.

– Oublions maintenant ces deux voyous sans importance.

– Est-ce que le détective privé qui a enquêté à votre sujet avant que mon coéquipier et moi le fassions et qui a été retrouvé assassiné était aussi sans importance ? demanda Francis.

– Cet homme, comme monsieur Thong et vous l'avez fait, s'est adressé à Magdalene Gwee afin de tenter de lui arracher des renseignements. Cependant, au lieu de lui offrir une récompense, il a eu la maladresse de la menacer. Nous n'avons pas apprécié ces méthodes et il a payé pour son manque de jugement.

– Je vois, fit Francis. On peut dire que vous réagissez énergiquement lorsque des gens de votre entourage sont menacés.

– Venons-en maintenant à l'enquête que vous menez, si vous voulez bien, dit Steven Hoh.

– Je ne demande pas mieux, approuva le détective privé. Lorsque vous m'avez téléphoné, vous avez affirmé avoir des renseignements intéressants à me confier.

– C'est juste. Je tiens d'abord à préciser que mon associé et moi sommes au courant que vous n'enquêtez pas que pour le compte de la cliente dont vous nous avez parlé. Vous avez un autre client plus important, n'est-ce pas monsieur Bastien ?

– Disons que le client important auquel vous faites allusion a fortement insisté pour que je lui transmette les résultats de mon enquête. En contrepartie, on m'offrait de me prêter assistance ici à Singapour. C'est en raison de cet accord que je travaille avec un coéquipier. De toute fçon, j'ai la nette impression que vous saviez déjà tout cela.

– Vous avez raison monsieur Bastien, nous savions effectivement tout cela.

– Vous jouissez décidément d'excellentes sources, monsieur Hoh. Je dois à nouveau avouer être épaté.

– Disons que nous avons la chance d'avoir des amis bien placés. Nous leur en sommes naturellement très reconnaissants, si vous voyez ce que je veux dire.

– Je vois très bien ce que vous voulez dire, monsieur Hoh. Je suis détective privé, après tout. Chez moi, j'ai donc aussi des amis bien renseignés auxquels je dois exprimer ma reconnaissance de façon tangible.

Steven Hoh eut un éclat de rire avant de dire :

– J'aime l'euphémisme que vous utilisez.

Le silence s'installa un moment pendant lequel Steven Hoh parut réfléchir. Puis, il reprit :

– Bon, maintenant que ces détails ont été précisés, venons-en aux informations que j'ai à vous révéler.

– Je vous écoute.

– Nous avons consulté nos données afin de vérifier si Steve Beaupré, celui qui aurait joué en votre nom sur notre site, y figurait. Et nous avons découvert qu'effectivement, nous l'avons eu comme client. Il nous est vite apparu évident qu'il n'a pas le talent que Stefan Varady avait, loin de là. Il a réussi à se qualifier pour participer au jeu ultime, mais avec des scores nettement moins impressionnants que ceux obtenus par le jeune Varady. D'ailleurs, il n'a jamais osé prendre le risque de participer à un duel ultime, du moins pas sous sa véritable identité, car il est certain que c'est lui qui a joué, et perdu, en votre nom et nous le considérons donc responsable de cette partie.

– Que voulez-vous dire par là ?

– Que c'est à lui que sera réclamé le solde de la mise.

– Si je vous suis bien, vous faites allusion au « contrat » qui faisait de moi la cible d'un tueur à gages, dit Francis.

– Vous me suivez très bien, en effet. Dans notre milieu, un contrat est sacré. Et cet homme a utilisé notre site et en a détourné l'esprit pour tenter d'en arriver à ses fins, c'est-à-dire se débarrasser de vous. Il est donc maintenant le « bénéficiaire » du contrat auquel vous venez de faire allusion.

– Je ne vous cacherai pas que j'en suis soulagé, dit Francis. J'y pense, s'il voulait se débarrasser ainsi de moi, c'est peut-être qu'il ne voulait pas que je découvre qu'il avait joué un rôle semblable dans ce qui est arrivé à Stefan Varady.

– Cela est fort possible. D'ailleurs, les informations que nous avons dans nos fichiers indiquent que Stefan Varady aurait été vraiment lamentable lors de sa dernière joute de duel ultime, celle qu'il aurait perdue. Rien à voir avec la maîtrise qu'il avait démontrée lors de ses matchs de qualification et lors des trois autres joutes de jeu ultime qu'il avait auparavant disputées. Il est donc probable que Steve Beaupré ait joué à sa place pour la joute qui lui a coûté la vie.

– Il était sans doute jaloux du talent de celui qui se considérait comme son ami, commenta Francis. Attendez... vous venez de dire que Stefan Varady avait auparavant déjà disputé trois autres joutes de jeu ultime. Voulez-vous dire que trois autres jeunes hommes ont payé de leurs vies le fait d'avoir perdu contre lui ?

– Ce sont les règles du jeu, monsieur Bastien. Je vous rappelle que nous vendons à ces jeunes ce qu'ils demandent : des sensations fortes.

– Sans doute monsieur Hoh, mais je ne parviens pas à me faire à l'idée que ces jeunes aient tant besoin d'émotions.

– Cela n'a rien de nouveau, monsieur Bastien. Après tout, à l'époque héroïque du *Far West* américain, des jeunes, tout aussi convaincus de leurs talents, s'affrontaient également dans des duels, à coups de pistolets cette fois-ci. Plus loin dans le passé, c'était dans l'arène que de jeunes gladiateurs s'affrontaient pour démontrer leur valeur.

– Ils n'en avaient pas toujours le choix, commenta Francis.

– Maintenant, les jeunes qui font appel à nous ont le choix. Ils agissent en connaissant parfaitement les règles du jeu. Et c'est d'ailleurs la rigueur de ces règles qui les motive.

– Pourquoi me racontez-vous tout cela, puisque vous savez que le Service canadien du renseignement de sécurité a insisté pour que je leur transmette les informations que j'aurai recueillies au cours de mon enquête ? Une fois entre les mains du SCRS, ces renseignements seront sans doute ensuite acheminés à la CIA.

– En échange de ma franchise, je vous demande seulement de taire le fait que Steve Beaupré est maintenant l'objet d'un « contrat ». Si le SCRS était informé de ce détail, cela compliquerait certainement la tâche de celui qui est chargé du travail.

Francis réfléchit un moment avant de répondre :

– Vous avez ma parole. Après tout, je crois bien que ce type a mérité le sort qui l'attend.

– Quant aux autres informations que vous fournirez, les gens qui en prendront connaissance se doutent déjà de tout ce que je viens de vous apprendre. Et, à vrai dire, cela n'a aucune réelle importance en ce qui a trait à la poursuite de nos activités. Nous déplacerons bientôt à nouveau nos bureaux et nous avons, comme vous le savez, des amis bien renseignés et influents. On ne peut rien contre nous ici à Singapour. Les autorités de notre cité-état pourront toujours déclarer officiellement aux agences de renseignements étrangères qu'elles enquêtent à notre sujet mais, dans la réalité, elles continueront à fermer les yeux.

– Je comprends, déclara Francis. Finalement, je constate que vous aviez raison de dire que notre entretien me permettrait de conclure mon enquête. Je vous suis reconnaissant de vous être donné la peine de me faire ces révélations.

– Considérez cela comme un dédommagement d'avoir été, par méprise, la cible de l'un de nos amis. Veuillez m'excuser, je dois maintenant m'en aller, conclut Steven Hoh en se levant.

Avant de partir, il tendit la main à Francis en disant :

– Je ne crois pas que nous ayons d'autre occasion de nous rencontrer, alors je vous dis adieu monsieur Bastien.

– Adieu monsieur Hoh, répondit Francis en serrant la main qui lui était tendue.

Steven Hoh salua au passage le patron du café et, d'un pas assuré, sortit de l'établissement. Il y avait en effet fort peu de chances que lui et Francis se revoient jamais. Bien que n'étant pas du même côté de la barricade, ces deux hommes avaient tout de même rapidement appris à se respecter mutuellement. Francis savait qu'il pouvait croire en la parole de Steven Hoh et, puisque celui-ci lui affirmait qu'on avait annulé le « contrat » qui pesait sur sa vie, il se sentait grandement soulagé. C'est donc d'un cœur léger qu'il termina l'excellent café qui lui avait été servi.

⁑

Dans l'après-midi, Francis se rendit aux bureaux de l'agence de Sunny. Il raconta alors à celui-ci, dans les grandes lignes, la conversation qu'il avait eue avec Steven Hoh. Il « oublia » cependant, comme il s'y était engagé, de parler de ce qui attendait Steve Beaupré. Son coéquipier en vint lui aussi à la conclusion que leur enquête était bel et bien terminée. Aidé par Francis, Sunny s'attaqua alors à la tâche de rédiger le rapport qu'il remettrait à ses clients.

– Il semble que Steve Beaupré va bien s'en tirer, fit à un moment donné remarquer Sunny. Il serait sans doute difficile de prouver qu'il a disputé des joutes de jeu ultime en ton nom et en celui de Stefan Varady. Et même si on parvenait à le prouver, il se sera tout au plus rendu coupable d'« usurpation d'identité virtuelle ».

– La vie se charge parfois de rendre justice de façon détournée, se contenta de répondre Francis.

Sunny n'insista pas. Francis lui demanda alors :

– Dis donc Sunny, tu ne m'as pas dit ce qui est advenu de ton auto.

– Je l'ai remplacée par une nouvelle. Finalement, je n'en aimais pas vraiment la couleur.

Et tous deux éclatèrent de rire.

⁑

Le moment du départ était arrivé et Sunny était venu accompagner son confrère à l'aéroport. Lorsque les passagers du vol que Francis allait prendre furent appelés, les deux hommes échangèrent une ferme poignée de mains.

– Si jamais tu reviens à Singapour, viens me dire bonjour, dit Sunny. Mais, je te préviens, ne compte plus jamais que je te laisse conduire mon auto.

Francis sourit et répondit :

– De ton côté, si jamais tu passes par Québec, n'oublie pas de me contacter. Et si, à ce moment-là, j'ai une auto que je n'ai pas démolie, je ne vois aucun inconvénient à te la laisser conduire. Tu es si prudent!

Sunny rit de bon cœur et dit :

– Bonne chance.

– Bonne chance, fit Francis à son tour.

Il se retourna et se dirigea vers le corridor d'embarquement.

Chapitre 15
Règlements de comptes

Ça y était : Francis était sur le chemin du retour. Pendant le vol, le détective privé eut amplement le loisir de réfléchir à ce qu'il allait révéler ou cacher à Sylvia. Au téléphone, il lui avait seulement dit qu'il connaissait maintenant la vérité. Il avait refusé de lui en dire plus. Il croyait que le reste devait se dire de vive voix. Il devait, bien sûr, lui révéler que son frère était mort à cause de sa passion pour les jeux compétitifs et les sensations fortes et que cela l'avait mené à participer à ces insensés duels de jeu ultime.

Il mit un certain temps à décider s'il allait lui révéler le rôle que Steve Beaupré avait sans doute joué dans la mort de son frère. Finalement, il opta pour s'en abstenir. Il se dit que si elle savait la vérité à ce sujet, elle dépenserait encore beaucoup d'énergie à essayer de le faire condamner. Et cela aurait toutes les chances de la mener dans un cul de sac. Il était préférable de laisser les choses suivre leur cours, avait-il conclu. Cela allait justement dans le même sens que l'autre décision qu'il avait prise, sans hésitation celle-là, de ne pas dire à Sylvia que Beaupré allait fort probablement bientôt subir le même sort que Stefan. Une fois que ces décisions furent prises, Francis ne les remit plus en question.

⁂

Pendant l'escale à Montréal, Francis s'installa sur un banc de l'aérogare pour lire un magazine en attendant le départ pour Québec. À un moment où il leva la tête, il eut la surprise de voir arriver vers lui un visage qu'il connaissait. C'était le prétendu Marc du Centre de sécurité des télécommunications qu'il avait rencontré à Ottawa avant son départ pour Singapour.

– Salut Francis, dit l'homme en se plantant devant le détective privé. Tu as fait bon voyage ?

– Salut Marc, répondit Francis. Je crois que oui, on peut dire que mon séjour à Singapour a été satisfaisant, si on considère les résultats obtenus. Mais je dois dire que je ne m'attendais pas à te revoir. Au CST et au SCRS, n'êtes-vous pas satisfaits du rapport que vous a fait parvenir Sunny ?

– Oui, nous en sommes assez satisfaits. Le rapport est concluant, sauf que la Société du tigre blanc a encore une fois plié bagages. Le fauve s'est, en quelque sorte, à nouveau évanoui dans la nature. On dirait que ses dirigeants ont su que nous allions être informés de leurs activités criminelles.

– Ils savaient en tout cas très bien que Sunny et moi menions une enquête à leur sujet puisque nous sommes allés interroger Steven Hoh dans les bureaux de leur société.

– Justement, vous auriez tout de même pu montrer un peu plus de discrétion en menant cette enquête. Vous avez été comme des éléphants dans un magasin de porcelaine.

Exaspéré par ces reproches, Francis riposta :

– Je te ferai remarquer Marc que le mandat que j'avais auprès de ma cliente était de découvrir la vérité au sujet de la mort de Stefan Varady. Ce mandat a donc été entièrement rempli. Je ne me suis jamais engagé à travailler pour vous dans cette affaire. Je ne devais qu'accessoirement vous fournir des informations. Et vous les avez eues vos informations. En aucun moment, il n'a été question que je tisse un filet pour vous afin de vous permettre de capturer les gens en cause. Je te ferai également remarquer que c'est moi qui étais en première ligne. Aucun des agents du SCRS n'a pris de risques dans cette affaire, à ce que je sache.

– Des agents étaient sur place pour assurer ta sécurité. Leur intervention a évité que l'on te tire comme un lapin en pleine rue.

– C'était donc vous. En tout cas, cela confirme que c'était moi qui étais aux barricades. Alors, tes reproches je n'en ai rien à foutre. Sunny et moi vous avons livré la marchandise. Si vous n'êtes pas satisfaits, c'est votre problème.

– D'accord, je suis prêt à admettre que vous avez tout de même fait du bon travail. Nous sommes simplement un peu déçus que nos proies nous aient échappé.

– Les fauves sont des proies furtives..

– Quoi qu'il en soit, ne trouves-tu pas que Steve Beaupré s'en tire bien dans cette affaire. Il nous sera difficile de le faire incriminer pour le meurtre du jeune Varady. Surtout que l'inspecteur chargé de cette affaire a déjà tiré ses conclusions.

– Je pense que ma cliente, la sœur de Stefan Varady, a déjà suffisamment souffert dans cette histoire. À mon avis, rouvrir l'enquête ne ferait qu'aviver inutilement ses plaies.

– Tu ne lui diras donc pas la vérité au sujet de Beaupré.

– Je n'en ai pas l'intention.

– Dans ce cas, puisque Sylvia Varady n'insistera certainement pas pour qu'on reprenne l'enquête, je crois que nous allons nous aussi « oublier » Beaupré.

– Sage décision, commenta Francis.

– Je te trouve bien magnanime, répondit son interlocuteur. Après tout, il a tenté d'avoir ta peau. Je me demande si cela cache quelque chose.

– Je désire simplement que Sylvia Varady puisse tourner la page sur toute cette histoire.

– Te serais-tu entiché de ta cliente ? Cela ne ferait pas très professionnel.

– Je n'ai que faire de ton jugement et de tes commentaires. D'ailleurs, je dois aller prendre mon avion. Au plaisir de ne pas te revoir.

Francis se leva et se dirigea vers le corridor d'embarquement, plantant là l'agent du CST.

⁂

À son arrivée à l'aéroport de Québec, Francis fut heureux de constater que Sylvia l'attendait dans le grand hall. Dès qu'ils se furent rejoints, ils s'enlacèrent tendrement.

– Je suis si heureuse de te revoir, dit Sylvia.

– Moi aussi, je suis très heureux de te revoir. Et je suis content que cette enquête soit terminée.

– Ça a été difficile, n'est-ce pas ?

– C'est d'avoir été loin de toi de qui a été difficile, fit Francis.

– Il va nous falloir reprendre le temps perdu, répondit Sylvia en souriant.

– C'est bien mon intention.

Sylvia ramena Francis chez lui à bord de son auto. Alors qu'elle conduisait, elle tenta d'avoir un aperçu des conclusions de l'enquête de son passager. Mais cette fois-ci encore, Francis refusa obstinément d'aborder la question. Il lui dit qu'il était épuisé et qu'il avait un urgent besoin de plusieurs heures de sommeil afin de rassembler ses idées. Après cela seulement, il pourrait lui faire part clairement de ses conclusions, ajouta-t-il. La jeune femme finit par se résigner à devoir, pour quelques heures encore, réfréner sa soif d'en savoir plus sur la mort de son frère. Après qu'ils se furent donné rendez-vous pour le lendemain, elle déposa Francis chez lui.

⁑

Le soleil était à son zénith au moment où Francis et Sylvia étaient attablés au restaurant-terrasse de la Grande-Allée où ils étaient déjà allés manger à quelques reprises, celui où on avait même tiré des coups de feu dans leur direction. Cette fois-ci, son enquête particulièrement délicate étant bel et bien terminée, Francis se disait que le danger était maintenant conjuré. Ils avaient donc pris place en toute quiétude sur la terrasse, profitant du temps spécialement agréable.

Maintenant qu'il était reposé, le détective ne craignait plus, par mégarde, de révéler plus d'informations à Sylvia sur la mort de son frère, qu'il ne l'avait, après mûre réflexion, décidé. Il lui apprit alors que Stefan avait perdu la vie parce qu'il s'était aventuré à la risquer dans des duels virtuels. Il lui apprit également que son frère avait déjà été vainqueur dans trois affrontements avant d'être, à son tour, vaincu. Que trois autres jeunes adeptes de jeux virtuels et de sensations fortes, quelque part dans le monde, avaient perdu la vie pour l'avoir affronté dans des joutes de jeu ultime. Comme il l'avait décidé, il s'en tint à ces révélations.

Sylvia fut évidemment atterrée de découvrir que son frère ait pu avoir eu pour la compétition et les sensations fortes une passion qui l'ait mené si loin. Ses sentiments oscillaient entre la tristesse et la colère envers son frère ainsi qu'envers ceux qui opéraient le site Internet qui rendait possibles de tels duels. Elle se déclara cependant heureuse de savoir enfin à quoi s'en tenir. Cela fit sentir Francis un peu coupable de ne pas tout lui révéler, quoiqu' il demeurait persuadé que c'était mieux ainsi.

Pendant qu'ils discutaient de la sorte à une table de la terrasse du restaurant, ils ne remarquèrent pas que quelqu'un qui passait par là par hasard, au volant d'une puissante camionnette, les vit et reconnut Francis. Cela irrita fort l'homme qui faisait partie d'un groupe de motards impliqué dans la vente de drogues et autres activités criminelles.

⁂

Francis allait bientôt pouvoir reprendre les enquêtes qu'il avait laissées en plan. Il lui restait cependant une autre démarche à effectuer avant de retourner définitivement au train-train quotidien : rencontrer Steve Beaupré. Stefan Varady avait su d'avance ce qui l'attendait et Francis entendait qu'il en soit de même pour Beaupré. Cela n'était que justice, croyait-il.

Le détective privé était impatient de clore le dossier Varady. L'après-midi même de son repas avec Sylvia, il se présenta donc, sans avoir pris de rendez-vous, aux bureaux de l'entreprise où travaillait Beaupré. À la réception, on communiqua avec le jeune informaticien et, suite à la réponse de celui-ci, on refusa d'abord de le laisser passer. Francis insista :

– Dites à Steve Beaupré que j'ai complété mon enquête sur l'assassinat de Stefan Varady et que je connais maintenant les tenants et aboutissants de cette affaire. Dites-lui également que je viens le voir à ce sujet et que ce que j'ai à lui dire va sans nul doute l'intéresser au plus haut point. Dites-lui finalement que s'il refuse de me recevoir aujourd'hui, il n'aura aucune autre occasion d'être mis au courant de ce que j'ai appris. J'ai l'intention bien arrêtée de régler aujourd'hui même tout ce qui concerne cette enquête et de ne pas y revenir.

Devant ces arguments, comme Francis s'y attendait, Beaupré céda et accepta de le rencontrer. Lorsqu'il arriva devant son bureau, la porte en était grande ouverte. Le détective privé entra et ferma derrière lui.

– Ce dont nous avons à parler est confidentiel, dit-il en s'asseyant sans attendre d'y avoir été invité.

– Je suis très occupé, alors venons-en immédiatement au fait, répondit Beaupré. Tu as des choses à me révéler, paraît-il ?

– À vrai dire, tu sais déjà une bonne partie des choses que j'ai à te dire. Je viens seulement t'informer que je les sais maintenant moi aussi.

– Et qu'est-ce que tu sais, dis-moi?

– Je sais que c'est toi qui as provoqué l'assassinat de Stefan Varady.

– Qu'est-ce qui te fait dire cela?

– Je sais que tu as participé à une joute de jeu ultime à sa place, joute que tu as probablement perdue délibérément.

– Ainsi, tu as découvert ce qu'est en réalité le jeu ultime.

– Je l'ai découvert en effet.

– Je reconnais que Stefan et moi avons participé à des duels ultimes mais, pour le reste, tu n'as pas la moindre preuve de ce que tu avances et tu n'en auras jamais. Si tu avançais ces accusations publiquement, je te poursuivrais et je te ruinerais, menaça Beaupré.

– Stefan a participé à des duels ultimes, toi non. Du moins, pas en ton nom. Quant à tes menaces, tu n'auras pas à les mettre à exécution car, rassure-toi, je n'ai pas la moindre intention de faire des révélations publiques à ce sujet, loin de là. Je tenais simplement à ce que tu saches que je suis au courant.

– Est-ce là tout ce que tu as à me dire? Dans ce cas, je te l'ai dit, je suis très occupé...

– J'ai découvert que tu as également tenté de me faire éliminer en utilisant la même méthode. Tu as perdu un duel ultime livré en mon nom. Après tout, tu ne fais peut-être pas exprès pour perdre, on m'a dit que tu es beaucoup moins talentueux que Stefan.

– Qui es-tu pour juger de mon talent? Je suis certain que tu n'aurais pu toi-même gagner la moindre partie de qualification. En tout cas, je vous ai bien eus, toi et Stefan. Pauvre Stefan, il est mort sans avoir compris ce qui s'était passé. Lui qui était supposé être si brillant dans tous les domaines. Il croyait qu'il y avait simplement eu une grossière erreur. Il avait communiqué avec les gestionnaires du site et tenté de les en convaincre. Ceux-ci doivent être régulièrement confrontés à des perdants qui refusent de régler la note et utilisent tous les prétextes à cette fin. Bref, ils ne l'ont pas cru. Quant à toi, tu t'en es sorti vivant, mais tu es muselé.

Francis constatait qu'il avait joué la bonne carte en mettant en cause le talent de son interlocuteur. Il était parvenu à lui faire perdre son calme.

– Je n'ai pas l'intention de révéler ce que je sais, je te le répète. Tu as raison, je n'ai pas de preuves et je ne pourrais que me taire, même si j'avais eu envie de parler, ce qui n'est pas le cas. Entre nous, je trouve la situation tout de même cocasse puisque toi non plus tu ne pourras pas parler.

– Tu es cinglé, je n'ai pas du tout envie d'aller crier sur les toits mes exploits dans ce domaine.

– Attends, tu ne sais pas encore le principal point qui m'amène. Tu changeras peut-être d'avis quand tu sauras.

– Alors dis-le, ce que tu as tant à me dire. Vide ton sac et va-t-en, que je sois débarrassé de ta présence de perpétuel perdant.

Cette insulte fit sourire Francis. Il répondit :

– Quelle coïncidence, tu me parles de perdants alors que c'est justement le sujet dont je veux te parler : les gestionnaires du jeu ultime te considèrent maintenant comme le réel perdant du duel que tu as joué au nom de Stefan Varady.

Devant cette révélation, Beaupré blêmit soudainement et demanda :

– Que veux-tu dire par là ?

– Je crois que tu as très bien compris. Mais si tu tiens à ce que je mette les points sur les i, il me fait plaisir de préciser que cela veut dire que, d'ici quelques jours, ou quelques semaines tout au plus, quelqu'un que tu ne connais absolument pas va venir débarrasser la planète de ta vilaine petite personne combinarde et égocentrique.

– Ce n'est pas possible. Tu essaies de me faire marcher, tenta de se convaincre Steve Beaupré.

– Que tu me croies ou pas me laisse tout à fait indifférent. Cela ne changera rien au sort qui t'attend d'ici peu. Après tout, ce n'est que justice : tu as joué et tu as perdu. Tu as, bien sûr, d'abord fait porter la responsabilité de ta défaite par Stefan Varady, qui te croyait son ami. Je ne trouve rien à redire au fait que tu aies maintenant à assumer toi-même cette responsabilité.

– Ils ne m'auront pas comme ça, je vais aller voir la police. Ils vont me protéger.

– À mon avis, le plus beau de l'histoire est que tu ne le peux pas.

– Et pourquoi pas?

– Que vas-tu leur dire, aux policiers? Que Stefan Varady est mort à cause d'une machination que tu as tramée? Que les gens que tu as bernés pour parvenir à tes fins ont décidé de corriger la situation? Je te rappelle que, pour la police, l'assassinat du jeune Varady est maintenant affaire classée. Et ce, en partie grâce à toi. N'est-ce pas toi, en effet, qui as révélé à l'inspecteur Demers que Stefan consommait de la drogue à l'occasion et, donc, aiguillé son enquête dans cette direction? Tel que je le connais, Demers refusera de rouvrir son enquête maintenant qu'il la juge terminée. Il est fort probable qu'il ne te croira pas et va carrément t'envoyer promener si tu essaies de le convaincre qu'il a fait fausse route. Finalement, je dois t'avouer que la situation me fait bien rire.

– Que puis-je faire? demanda Beaupré, d'une voix soudainement moins cassante.

– Je ne sais pas. Profiter au mieux des quelques jours ou semaines qui te restent, il me semble. Rédiger un testament si ce n'est pas fait.

– Je veux dire pour me protéger. Tu es détective privé. Si je t'embauche... Je te paierais très cher...

– Je t'arrête tout de suite, intervint Francis. Il n'est pas question que je travaille pour toi. Tu me répugnes au plus haut point et sache que je ne me sens pas tellement une âme de mercenaire. C'est, vois-tu, un luxe que les perdants peuvent se permettre que d'avoir des principes. Pour répondre à ta question, peut-être pourrais-tu embaucher un garde du corps. À mon avis, cela ne changerait cependant rien. Ceux qui en ont après toi t'auront quand même au bout du compte. Ce sont des professionnels et ils ne lâcheront pas prise. Pour eux, un contrat est sacré et tu en as passé un avec eux le jour où tu as livré une joute de jeu ultime au nom de Stefan Varady et que tu l'as perdue.

Steve Beaupré était visiblement atterré. Il était livide et ne bougeait plus, gardant le regard fixe, dans le vague. Francis se leva en disant :

– Je sais que tu es très occupé et d'ailleurs, pour être franc, je le suis moi aussi. Maintenant que je t'ai appris ce que je tenais à te dire, je dois m'en aller.

– Va au diable, répondit Beaupré.

Francis avait ouvert la porte. Avant de sortir du bureau, il se retourna, sourit ironiquement et répondit :

– Je crois bien que tu risques fort d'y aller avant moi.

Il sortit sans refermer la porte derrière lui.

⁑

Le soir même, Francis retrouva Sylvia comme il avait été convenu. En fait, c'est plutôt elle qui le retrouva puisqu'il était déjà sur place lorsqu'elle arriva à l'appartement du détective privé, apportant avec elle une bouteille de vin d'excellente cuvée ainsi que des sacs d'épicerie. Pour fêter leurs retrouvailles et la conclusion de cette enquête qui leur avait tenu à cœur, ils allaient se cuisiner un repas mémorable.

Peu après l'arrivée de Sylvia, ils se mirent tous deux à la tâche. Ils préparèrent des mets dont ils savaient qu'ils allaient se délecter. Quand tout fut prêt, ils passèrent à table et prirent leur temps pour savourer autant le repas que leurs retrouvailles. Ils discutèrent avec animation, mais cette fois-ci, il n'était plus question de l'assassinat du frère de Sylvia. La conversation tournait plutôt autour de leurs passions et de leurs rêves mutuels.

Le repas terminé, ils se retrouvèrent au lit. Là aussi, ils prirent tout leur temps et savourèrent au maximum ces moments intenses. C'était, d'une certaine façon, une quasi-renaissance pour chacun d'eux. Sylvia pouvait enfin tourner la page sur la disparition de son frère. Quant à Francis, il avait le sentiment que ses années noires étaient derrière lui. La chance et le ciel bleu étaient droit devant. Ils n'avaient qu'à tenir la barre et suivre le courant. Ils s'endormirent finalement étroitement enlacés.

Un certain temps avait passé quand Francis se réveilla en sursaut. Il n'aurait pu dire exactement ce qui l'avait réveillé. Peut-être une intuition, ou un bruit. Il eut justement l'impression d'entendre un craquement quelque part dans son appartement. Il se leva lentement, avec précautions. Il avança lentement dans le corridor menant au salon, à la salle à manger et à la cuisine. En arrivant au salon, il se retrouva face à un homme qui sortait de la cuisine et qui tenait un revolver à la main. Il avait négligé d'éteindre la lumière au salon la veille, alors il pouvait bien distinguer le type. C'était un homme à la peau très bronzée et il portait des jeans bleus et un tee-shirt noir. Il avait un nez épaté et sa lèvre supérieure était traversée par une cicatrice. L'homme pointa son arme dans la direction de Francis, ordonnant d'une voix éraillée :

– Avance.

Le détective privé obéit en disant :

– Qui es-tu ? Que veux-tu ?

– On m'appelle Black et je suis ici pour te tuer.

– Est-ce que je peux savoir pour quelle raison ?

– Parce que tu t'es mêlé de nos affaires.

– De quelles affaires me suis-je mêlé au juste ?

Francis se disait que discuter lui permettait de gagner un peu de temps. Tout en parlant, il espéra que Sylvia puisse être épargnée, mais il savait bien que, si le type avait conscience de sa présence, il ne laisserait pas de témoin potentiel derrière lui. Il constata que le revolver de l'homme était muni d'un silencieux. Peut-être Sylvia n'aurait-elle pas connaissance de l'attentat. Si elle continuait à dormir et ne se pointait pas dans la pièce, elle pourrait peut-être s'en tirer. Le type serait probablement pressé de s'en aller une fois son crime commis et il n'inspecterait peut-être pas les autres pièces. Francis espéra qu'il n'avait pas vu les couverts pour deux personnes abandonnés sur la table de la salle à manger. Il tenta de se rassurer en se disant que l'homme ne semblait pas s'inquiéter de la présence éventuelle d'une autre personne dans l'appartement. Le privé s'efforçait de ne pas parler trop fort pour ne pas réveiller Sylvia. Il ne pouvait cependant pas parler très bas puisque cela aurait mis, à coup sûr, la puce à l'oreille à son agresseur. Celui-ci répondait justement à la dernière question de Francis :

– Tu as entravé le travail de Boris qui vend du « stock » pour nous.

– Je vois, fit Francis. Mais cette histoire remonte à un certain temps. Je croyais que c'était maintenant chose du passé.

– Pas du tout. Tu m'as déjà échappé deux fois et je n'abandonne pas en cours de route : jamais. Je ne suis pas comme mes associés.

– Je ne crois pas qu'ils apprécieront que tu en fasses à ta tête.

– Ils ne seront jamais certains que c'est moi qui t'aurai réglé ton compte. Je nierai l'avoir fait, bien sûr.

– Bien sûr, répéta Francis.

Le détective privé eut alors l'impression d'avoir vu un mouvement derrière le motard. Il se garda de fixer son regard dans cette direction mais, eh oui, c'était Sylvia qui était sans doute passée par la cuisine et qui était maintenant dans la salle à manger. Le motard se tenait toujours dans l'embrasure entre le salon et la salle à manger, si bien que Sylvia était à peu de distance derrière lui. Elle tenait quelque chose à la main que Francis ne pouvait distinguer autant à cause de la pénombre que parce qu'il n'osait toujours pas fixer son regard sur la jeune femme. Il pouvait tout de même constater qu'elle se rapprochait lentement de l'homme qui le menaçait de son arme. Cet homme disait justement :

– Bon, finies les discussions. Il est temps pour moi de faire ce que j'ai à faire.

Juste au moment où Francis s'attendait à être atteint d'un projectile, un bruit sourd retentit et le motard s'effondra au sol, inconscient. Le détective privé réalisa à ce moment que ce que Sylvia tenait à la main était une lourde poêle en fonte qui était habituellement suspendue à un crochet au mur de la cuisine. Elle s'en était servie pour matraquer avec force l'homme armé.

– Sylvia, lança Francis. Tu m'as fait une de ces peurs. Tu n'aurais pas dû prendre un tel risque.

– J'étais persuadée qu'il allait te tuer si je ne faisais rien.

– En tout cas, tu l'as proprement mis K.-O.

– J'espère qu'il n'est pas mort, dit Sylvia.

Francis se pencha pour examiner l'homme.

– Il respire, dit-il. Il regarda alors Sylvia qui tenait toujours la lourde poêle de fonte à la main et ajouta :

– Je te promets de ne jamais critiquer ta cuisine lorsque tu auras cette poêle à la main.

La jeune femme sourit et répondit :

– Sache que j'accepte très bien la critique. C'est de me faire appeler « poupée » ou « bébé » que je ne supporte pas. Ne t'avise jamais de m'appeler ainsi.

– Je me le tiens pour dit.

Ils éclatèrent de rire et s'enlacèrent.

⁑

Les policiers et l'ambulance étaient arrivés. Francis et Sylvia avaient à peine terminé de raconter aux agents ce qui était arrivé que le sergent Landry arrivait à son tour à l'appartement de Francis.

– Serais-tu devenu insomniaque? lui lança le détective privé, puisqu'il n'était qu'environ cinq heures du matin. Ou bien serait-ce que, quand on atteint un certain âge, on n'a besoin que de peu de sommeil?

– Pas du tout, jeune ingrat. Je dormais d'un sommeil de bébé quand j'ai reçu un appel du poste. On savait que je ne l'aurais pas pardonné si on ne m'avait pas immédiatement prévenu que tu étais encore dans le pétrin. Bref, quand j'ai su qu'il y avait eu un attentat chez toi, je suis accouru immédiatement.

– Je ne crois pas qu'on puisse vraiment dire que je suis dans le pétrin. Le motard qui avait une dent contre moi vient de sortir sur une civière grâce aux bons soins de Sylvia ici présente.

Le sergent Landry regarda Sylvia d'un air interrogateur. Elle désigna du menton la lourde poêle de fonte qui avait été déposée sur une table du salon.

– J'ai agi sans réfléchir, en n'écoutant que mon instinct, dit-elle.

– Ah bon, vous aviez donc une fringale nocturne? plaisanta le policier tandis que Sylvia le regardait d'un air incrédule.

– Ne t'en fais pas, il est comme ça. Il ne peut s'empêcher de blaguer sans cesse, expliqua Francis. C'est quand même un type formidable qui accourt même en pleine nuit quand il croit un ami en danger.

– Serait-ce un compliment ? Je ne suis pas certain de m'être levé, finalement. J'ai dû me rendormir, c'est sans doute un rêve que je fais.

Francis et Sylvia rirent de bon cœur.

– Pour en revenir au motard qui a eu droit aux bons soins de madame, est-ce qu'il t'a dit pourquoi il voulait t'éliminer ?

– Oui, il m'a, paraît-il, gardé rancune au sujet du petit *pusher* de la haute ville qui a été dérangé dans son travail à cause de mon enquête.

– Il avait pourtant été averti par les autres membres de sa bande de laisser tomber cette histoire, déclara le sergent Landry.

– Il ne semble pas vouloir les écouter. D'ailleurs, il va probablement remettre ça dès qu'il sera libéré sous caution ou qu'il aura purgé sa peine. Il m'a dit qu'il n'abandonne jamais.

– Je ne crois pas qu'il aura l'occasion de te créer à nouveau des ennuis. Il a désobéi aux directives qu'il avait reçues et, dans son milieu, ça se paye très cher. D'ici quelques semaines, son cadavre sera certainement retrouvé sur les berges du fleuve Saint-Laurent ou dans un boisé quelconque, à moins qu'on ne le retrouve jamais.

– Vous allez laisser faire ça ? demanda Sylvia.

– Quoi qu'on fasse ne pourra rien y changer, répondit le policier. D'ailleurs, au point où les choses en sont, j'ai bien peur que ce soit lui ou Francis.

– Mon ami le sergent Landry est un grand sentimental, te l'avais-je déjà dit ? plaisanta Francis.

– Dans mon métier, et donc dans le tien, il faut avoir les pieds bien sur terre, je le reconnais. C'est peut-être tout ce qui te manque pour être le meilleur détective en ville, lui répondit le sergent Landry.

– Je ne ressens pas le besoin d'être le meilleur détective en ville. Être l'ami de celui qui l'est me suffit.

– Deux compliments de ta part au cours de la même nuit, je fais définitivement un rêve et je suis sur le point de m'éveiller.

– Ne te méprends pas, ce n'est pas à toi que je pensais. C'était plutôt à l'inspecteur Demers, bien sûr.

Tous les trois rirent à cette blague, puis le sergent Landry demanda :

– Depuis quand es-tu l'ami de cet imbécile d'inspecteur ?

– Un peu de respect pour tes supérieurs, s'il te plaît, répondit Francis.

⁑

Quelques jours s'étaient écoulés depuis que Sylvia avait assommé le motard qui menaçait d'abattre Francis. Comme le sergent Tanguay l'avait prédit, le type en question était disparu de la circulation peu de temps après sa libération sous caution.

Un matin, Francis reçut au bureau un pli recommandé en provenance de Singapour. Curieux, il ouvrit immédiatement l'enveloppe pour y découvrir un très bel emballage-cadeau dans lequel il y avait une vingtaine de billets de banque américains de mille dollars chacun. Quelques mots étaient écrits à la main sur une feuille jointe à l'emballage :

> « Je n'ai pu me résoudre à remettre ces billets aux gens du SCRS. Après tout, ils ont eu ce qu'ils avaient acheté avec cette somme. Comme ils m'ont également très bien payé pour m'occuper avec toi de l'affaire qui les intéressait, j'ai pensé que cet argent te revenait de droit.
>
> Cette somme pourra peut-être servir de comptant à l'achat d'une auto semblable à celle que tu as démolie ici avec autant de facilité. Mais c'est bien sûr à toi de décider ce que tu veux en faire.

Ma suggestion visait seulement à épargner les véhicules de tes amis.

P. S. : J'ai donné un généreux pourboire à la jeune femme qui a fait l'emballage. »

La lettre n'était pas signée. Francis jeta le tout sur son bureau et sourit en pensant à son compagnon d'aventure qui habitait à l'autre bout du monde.

Table des matières